KNETTER

Akke Holsteijn

&

Mieke de Jong

Knetter

Pimento

NEDERLANDSE
KINDERJURY
2006

ISBN 90 499 2074 8
NUR 282

Tekst © 2005 Akke Holsteijn en Mieke de Jong
© 2005 Pimento, Amsterdam
Basisontwerp omslag Gijs Kuijper
Titellogo Emiel Geerdink
Fotografie Victor Arnolds
Omslagbelettering Peter de Lange
Zetwerk ZetSpiegel, Best

Pimento is een imprint van Pimento BV,
onderdeel van Foreign Media Group

Een

'Bonnie... Bon! Wakker worden!'

Bonnie werd wakker. Ze knipperde even met haar ogen. Haar oma zat op haar bed.

'Kom snel. Het begint,' zei oma.

Bonnie ging op de rand van haar bed zitten en schoot in haar pluchen olifantenpantoffels. Snel trippelde ze oma achterna naar beneden.

Haar moeder Lis had de afstandsbediening in haar hand en zette de televisie wat harder. Oma ging op de bank zitten.

'Kom...' Ze klopte met haar hand naast zich. Bonnie kroop tegen oma aan. Haar moeder kwam aan de andere kant naast haar zitten. Op het tafeltje voor hen stonden chips en limonade. Bonnie genoot. Het was lekker knus zo. Alle drie keken ze naar de tv. Niets wilden ze missen. Er kwam een film over olifanten.

Bonnie stamde uit een olifantenfamilie. Haar opa's opa was boswachter in Afrika. Hij was dol op olifanten. Zijn lievelingsolifant heette Bonnie. Daar was Bonnie naar vernoemd. Je kon op haar zitten en ze hielp mee omgehakte bomen te sjouwen. Bonnie kende de verhalen van haar opa uit haar hoofd. Hoe Bonnie hem een keer had gered toen er een bosbrand kwam. Olifanten kunnen het gevaar voelen aankomen. Ze voelde het vuur al voor het er was en rende met opa op haar rug weg. Naar een plek waar het veilig was. Ze hebben het dus van hem geërfd, de olifanten. De hele familie is stapelgek op olifanten.

De film op tv begon. Een kudde olifanten liep traag over de savanne in Afrika. De camera zoomde in. Bonnie, haar moeder en haar oma keken ademloos toe.

'*De olifant is het grootste en zwaarste dier dat op het land leeft,*' klonk de stem op de tv. '*Een olifant wordt wel vier meter hoog. Een volwassen mannetje kan wel zevenduizend kilo wegen en soms zelfs meer.*'

'Dat is dus zevenduizend pakken suiker,' zei oma met bewondering in haar stem.

'*Van het puntje van zijn slurf tot het einde van zijn staart is een mannetje ongeveer negen meter lang.*'

'Net zo groot als onze kamer,' zei Bonnies moeder zacht voor zich uit.

De olifanten liepen naar een meertje. Ze dronken en spetterden. Eentje spoot een fontein van water uit zijn slurf.

'*Een olifant drinkt tussen de zeventig en honderdzestig liter water per dag.*'

'Wauw,' verzuchtte Bonnie en ze nam een slokje cola.

De camera volgde een klein olifantje dat achter een grote aan hobbelde. 'Aaah,' zeiden ze alle drie tegelijk.

De kuddes waarin olifanten leven, bestaan alleen maar uit vrouwtjes en hun jongen. De mannetjes verlaten de kudde als ze een jaar of tien zijn. Ze komen alleen terug om te paren, zodat er nieuwe olifanten geboren kunnen worden.'

Lis knikte.

Het oudste en wijste vrouwtje is de leidster. De andere olifanten in haar kudde zijn zussen, dochters, nichten en kleinkinderen van haar.'

'Net als bij ons,' zei Bonnie. Haar moeder en oma grijnsden.

'In zo'n olifantenkudde wordt goed voor elkaar gezorgd.'

Net als bij ons, dacht Bonnie.

Het was laat toen Bonnie ging slapen. Haar moeder en oma stopten haar toe.

'Slaap lekker, Bon,' zei mama en ze kuste haar goedenacht. 'Droom lekker…'

'… van olifanten,' zei oma en ze knipte het licht uit.

Twee

De volgende ochtend stond Bonnie klaar om naar school te gaan. Snel deed ze haar rugzakje om en rende naar buiten. Koos zat al op het tuinhek te wachten. Bonnie en Koos deden alles samen. Bonnie was enig kind, maar Koos had wel vijf broers. Dat leek Bonnie ook wel wat. Koos woonde op een boerderij even buiten de stad.

Zijn rode haren stonden stug overeind. Net als bij zijn broers. Allemaal met hetzelfde rode haar. Alleen zijn jongste broertje had dat niet, maar hij was nog een baby. Dat rode hadden ze van hun moeder en dat stugge haar van hun vader. Zo zag je precies dat ze familie waren en bij elkaar hoorden.

Bonnie, haar moeder en oma leken niet zoveel op elkaar. Bonnie was blond, Lis had bruin haar en oma was… nou ja, grijs. Maar ze hoorden bij elkaar: Bonnie, mama en oma. Daarover was geen twijfel mogelijk.

'Nou, dag!' zei Bonnie tegen oma en ze huppelde naar buiten.

'Bonnie! Wacht!' riep oma. Ze stond in de deuropening met een beker drinken in haar hand.

'Hier,' zei ze, 'deze was je bijna vergeten.' Ze gaf Bonnie de beker en kuste haar nog snel even op haar hoofd.

Bonnies oma zorgde voor haar. Voor haar en mama. Ze maakte Bonnie wakker, ze kookte en ze dacht gewoon aan alles.

Elke dag zwaaide ze Bonnie uit als ze naar school ging. En elke dag riep ze: 'Voorzichtig zijn, hè? Goed uitkijken met oversteken!'

Alsof ik een baby ben, dacht Bonnie dan.

Ze was dol op oma, maar oma kon soms wel streng zijn.

Bij Bonnie thuis was haar oma de baas. Zij was de oude, wijze vrouwtjesolifant, de leidster van de kudde. En dat liet ze soms merken. Dat moest ook wel. Maar ja, dat kwam door Bonnies moeder.

Meestal was Lis gewoon Bonnies moeder. Maar niet altijd. Soms was Lis een beetje anders. Een beetje raar. Dan lag ze de hele tijd in bed, met de gordijnen dicht. Helemaal verstopt onder de dekens leek ze wel een dekenberg. Als ze zo'n bui had, wilde ze alleen maar slapen en verder niets.

Laatst liet Bonnie haar haar nieuwe handstand zien.

'Mam, kijk dan!' riep ze en ze ging op haar handen staan.

Maar de dekenberg reageerde niet en Lis bleef doodstil liggen. Op zo'n moment vond ze er helemaal niets aan.

Als ze zo was, hielp bijna niets. Zelfs olifanten niet. Of de tekening die Bonnie had gemaakt van een Afrikaanse olifant. Oma wilde hem aan de muur prikken. 'Kijk dan, Lis, wat Bonnie voor je heeft gemaakt! … Lis?!'

Met grote moeite worstelde Lis zich onder de deken vandaan om te kijken. 'Mooi,' zei ze geluidloos en ze trok de deken weer over zich heen. En ze ging weer verder met haar winterslaap. Het kon dan weken duren voordat ze weer uit bed kwam.

Lis was een heel lieve moeder, maar dus niet zo'n goede moeder. Gelukkig had Bonnie haar oma die voor haar zorgde. Die was voor Lis strenger dan voor haar. Als Lis haar bed niet uit kwam, riep oma: 'Lis, ik wil dat je je aankleedt en beneden komt ontbijten. Hoor je me?'

En dan kwam ze wel.

Het gekke was dat na weken haar winterslaap opeens voorbij was. Zomaar. Dan veranderde ze opeens van heel langzaam in heel erg druk. Alsof ze op *fast forward* stond. Het was net of Bonnies moeder alles in moest halen.

Soms draaide ze urenlang dezelfde muziek. Keihard. Net zo lang totdat de buurvrouw er knettergek van werd en kwam klagen.

Of ze zei opeens tegen Bonnie: 'Kom, laten we ijs gaan eten!' En als ze in de Italiaanse ijssalon zaten, bestelde ze een coupe met vijfentwintig bolletjes en twee lepels. 'Snel opeten, Bon, anders smelt het.' Bonnie was blij als haar moeder weer vrolijk was. Het was fijn om weer met haar uit te zijn. Een moeder die een beetje raar is, dat is niet erg. Als het maar léúk raar is.

Maar soms was Lis zo uitgelaten dat ze een beetje doorsloeg. Dan pakte ze opeens de ijscoman beet en begon met hem te dansen.

Vreselijk vond Bonnie dat. Ze wist niet waar ze moest kijken, zo schaamde ze zich.

'Mam!' riep ze, maar Lis hoorde of zag niets. Ze bleef dansen en wervelde de hele ijssalon door. Iedereen keek naar haar en de ijscoman. En na afloop gaf ze hem nog een heel dikke zoen ook.

Op dat soort momenten vond Bonnie het echt niet leuk meer. Daar wilde ze niet bij horen. Ze liep op zulke momenten weg en ging buiten op Lis staan wachten.

Een andere keer gingen Bonnie en Lis de stad in om te winkelen. Bonnie had een nieuwe broek nodig. Ze doken de ene na de andere winkel in en Bonnie bleef maar passen. Leuke broeken genoeg.

Aan het eind van de dag kwamen ze thuis met wel twaalf broeken. De hele kamer lag bezaaid met plastic tassen.

Toen Bonnie de broeken aan oma liet zien, zei ze:

11

'Twaalf is veel te veel. Als je de laatste aantrekt ben je alweer uit de eerste gegroeid.'

'Van mama mag het,' zei Bonnie.

'Ja,' zei oma, 'van mama mag altijd alles. Maar met zo'n moeder als Lis moet je…' Ze keek Bonnie veelbetekenend aan.

Bonnie wist wat ze bedoelde.

'… zelf nadenken,' vulde ze aan.

'Inderdaad, dat weet je toch?'

Bonnie zuchtte diep, een beetje boos en een beetje verdrietig. Haar oma kreeg medelijden. Ze was iets te hard uitgevallen. Ze streek Bonnie over haar haren.

'Hé, meissie van me. Die moeder van jou ging weer eens veel te snel. Ze is een hollen-of-stilstaan-moeder. Daar kan ze niets aan doen. Zo is ze geboren.'

Oma keek eens om zich heen naar alle broeken.

'Nou, welke twee wil je houden?'

'Die spijkerbroek, die witte en die met die streepjes,' wees Bonnie.

'Twéé, zei ik.'

'Die spijkerbroek en die met die streepjes.'

Oma gooide de broeken naar Bonnie. 'Hier! Vangen!'

De rest van de broeken stopte ze weer netjes terug in de plastic tassen. De volgende dag hadden ze ze allemaal weer teruggebracht.

Het was dus maar goed dat oma een oogje in het zeil hield.

Oma riep haar dochter ook tot de orde als ze haar medicijnen niet slikte. Lis moest elke dag medicijnen slikken. Omdat ze anders te hard stilstond of juist te hard holde. Maar ze deed het niet altijd. En dan werd oma boos en zei er wat van.

Dat wist Bonnie, omdat ze hen op een avond hoorde ruziën. Ze lag al in bed, maar stilletjes sloop ze haar kamer uit en luisterde boven aan de trap. Oma en Lis spraken op hoge toon tegen elkaar.

'Vanaf nu sta ik ernaast als jij je medicijnen inneemt,' zei oma, 'en ik wil zien dat je ze dóórslikt, Lis!'

'Ho even, mag ik dat misschien zelf weten?' antwoordde Lis.

Maar oma zei streng: 'Nee. Ik ben je moeder en als je wilt dat ik voor je zorg, dan moet je doen wat ik zeg.'

Zo zat dat dus, bij Bonnie thuis. Maar dat vond Bonnie niet erg, want ze wist dat haar moeder het niet expres deed. Ze kon er niks aan doen. Zo was ze. Ze was gewoon een moeder met een gebruiksaanwijzing.

Maar meestal ging het heel goed en was Lis een gewone moeder. Dan hadden ze het heel gezellig met zijn drieën.

Gingen ze naar de dierentuin, naar de olifanten kijken. Ze kenden ze allemaal bij naam.

Of ze gingen vliegeren aan het strand en daarna picknicken. Of kamperen, lekker in de achtertuin. Dan pakte oma de oude tent van opa's opa van zolder en die zetten ze dan samen op onder de kastanjeboom. Het bruine tentdoek was helemaal verschoten. Precies de kleuren van de savanne in Afrika, waar opa's opa hem zo vaak had opgezet. Dan ging hij op safari. Niet om dieren te schieten, maar om ze te bekijken.

Het liefst ging hij op zoek naar olifanten. Met zijn verrekijker speurde hij om zich heen. Als hij een kudde had gevonden, volgde hij die dagenlang. Net zo lang tot hij wist wie wie was in de kudde. Wie moeder was, wie kind, wie oma en wie tante.

In de tent konden precies drie personen liggen. Voordat ze gingen slapen, speelden ze vaak eerst nog een potje kwartetten. De slaapzakken om zich heen getrokken tegen de kou.

Heel gezellig was dat zo met zijn drieën. 'Mag ik van jou van de Afrikaanse dieren… de olifant?'

Op die avonden hadden ze vreselijk veel lol samen. Vooral als oma opeens zei: 'Ssst, stil eens! Ik hoor wat!'

Vol verwachting keken Lis en Bonnie haar dan aan. Wat? Waar?

'Een olifant…' fluisterde oma. 'Hoor jij hem?'

Bonnie spitste haar oren. Ze hoorde gestommel en ge-
kraak en knikte enthousiast.

'Ja,' fluisterde ze, 'een olifant!'

's Nachts sliep Bonnie tussen haar moeder en groot-
moeder in. Als een roosje. Heerlijk warm en veilig en helemaal niet bang, of het nou regende of bliksemde. Want
nergens slaap je zo lekker als in de buurt van olifanten.

Drie

De laatste bel was gegaan en Bonnie en Koos renden op hun allerhardst naar huis. Ze deden wie het eerste thuis was. Koos lag voor, maar toen ze vlak bij Bonnies huis waren, maakte hij opeens een noodstop.

De buurvrouw kwam net naar buiten. Ze liep op een paar grote groene laarzen. In haar hand droeg ze een vuilniszak, die ze naar de straat zeulde. Achter haar huppelde een dikke zwarte kat mee.

Ze woonde nog niet zo lang naast Bonnie. Niemand in de buurt kende haar eigenlijk goed. Lis noemde haar Puch. Dat was vroeger een brommermerk. Dat kwam doordat ze altijd zo mompelde. Net alsof ze een beetje bromde. Maar volgens oma was ze alleen maar verlegen. Koos vond haar ronduit verdacht. Hij vertrouwde haar voor geen cent.

Een beetje vreemd was ze wel, vond Bonnie. Zodra ze haar zag, hield ook zij in. Vanaf een veilige afstand keken ze argwanend toe.

In de vuilniszak zat een scheur. Puch stond te hannesen met het afval dat op de grond was gevallen. Ze zette de zak aan de straat. Toen ze zich omdraaide, zag ze Bonnie en Koos. Ze sloeg haar ogen neer en liep weer naar binnen, met de poes achter haar aan.

'Zag je dat?' fluisterde Koos.

Buurvrouws hele mond was besmeurd met rood vocht.

Veelbetekenend keek Koos Bonnie aan. 'Bloed!' mimede hij.

Bonnie griezelde en zette het op een lopen. Even wist Koos niet wat hij moest doen, maar snel kwam hij achter haar aan.

Met een grote boog rende ze om Puch heen, naar haar huis, het tuinpad op. Bonnie woonde in een grote ouderwetse villa met een enorme tuin. Ze rende zo hard ze kon, want ze kon nog winnen. Bonnie ging linksom, Koos rechtsom. Bonnie kwam het eerste aan bij de achterdeur.

'Ik ben thuis!!' riep ze hijgend toen ze naar binnen stormde. Ze gooide de keukendeur achter zich dicht. 'Mooi,' zei oma, 'want ik heb thee met koekjes.'

'Haha!' joelde Bonnie triomfantelijk toen Koos' hoofd eindelijk voor het keukenraam opdook. 'Gewonnen!'

Bonnies moeder kwam net de tuin uit met een grote bos bloemen in haar armen.

'Hier mam,' zei ze tegen oma. 'Voor jou.' Ze zette de bloemen in een vaas.

Na de thee en, vooral, de koekjes klommen Bonnie en

Koos in de boomhut in de tuin. Ze speelden safari. Bonnie had de hut zelf gemaakt, met Koos en een beetje hulp van Lis en oma. Achter de bladeren zag niemand je.

Bonnie had een zwarte snor op haar gezicht getekend. Koos pakte de oude tropenhelm van Bonnies opa's opa en zette die op. Ze hadden allebei een verrekijker, waarmee ze over de savanne speurden. Op zoek naar olifanten.

Opeens klonk er een dreun uit de tuin naast die van hen. Meteen richtten ze allebei de kijker naar het geluid.

Ze zagen Puch, die hout aan het hakken was. Bonnie stelde de kijker scherp en zag een grote hakbijl in haar handen. 'Zou ze eigenlijk familie hebben?' vroeg ze zich hardop af. Ze zag er verder nooit iemand. Koos haalde zijn schouders op.

Puch hakte ondertussen stevig door. De houtjes gooide ze op een barbecue. Toen pakte ze een fles spiritus en gooide een fikse scheut over de houtjes heen. Ze stak een lucifer aan en gooide die op de houtjes.

Zoef!

Er schoot een enorme steekvlam op.

'Whoooh, zag je dat?!' zei Koos. Geschrokken was Puch achteruitgedeinsd.

Bonnie en Koos keken ademloos toe hoe ze een mes pakte en een dikke plak afsneed van een homp vlees.

'Dat vlees, dat is vers,' zag Koos. 'Dat zie je aan het

bloed. Rood is vers en bruin is oud. Deze heeft ze dus vandaag vermoord.'

Hij kon het weten, want op de boerderij slachtte zijn vader wel eens een koe of een varken.

Puch legde het stuk vlees op de barbecue.

'Ik denk dat ze een voorraadje heeft, in de kelder.'

Bonnie liet de kijker zakken en keek Koos vragend aan.

'Lijken,' zei hij doodserieus. 'Als ze honger heeft, dan zaagt ze er een stuk af voor op de barbecue.'

'Gatsie,' griezelde Bonnie. Maar echt eng vond ze het niet, want ze hield wel van eng en van griezelen.

Snuffelend stak ze haar neus in de lucht. 'Het ruikt anders naar karbonaadjes.'

Puch was haar huis ingegaan en teruggekomen met een scherpe vleesvork. Ze draaide het vlees om, dat siste en spetterde.

Ingespannen keken Bonnie en Koos toe vanuit hun schuilplaats.

Tik, tik, tik, klonk het plotseling hard tegen het raam van de keuken. Allebei schrokken ze op.

Koos keek door zijn verrekijker en zag hoe oma hen wenkte achter het keukenraam. Aan haar handen kleefde het beslag van de cake die ze aan het maken was.

Door hun kijkers zagen ze hoe ze een ei omhoogjhield en vervolgens wees naar de buurvrouw. Ze snapten het.

'Je moet een ei halen bij Puch,' zei Koos.

Bonnie slikte. Ze had het liever niet begrepen. Weifelend kwam ze overeind. 'Nou, oké dan. Kom op.'

Koos liet Bonnie voorgaan en volgde haar aarzelend.

Voorzichtig liepen ze Puchs tuin in. Ze zorgden dat ze goed verscholen bleven in de struiken. Tussen de bladeren door zagen ze Puch aan haar tuintafel zitten. Voor zich had ze een bord met het geroosterde vlees.

'Jij vraagt het en dan blijf ik hier en als ze je pakt, dan, eh...' fluisterde Koos.

'Ik ga daar echt niet heen,' zei Bonnie beslist. 'Ga jij maar.'

'Het is jouw ei.'

'Ik ga niet.'

'Oké dan.' Stoer liep Koos de tuin in. Binnen een tel was hij terug.

'Als ik over vijf minuten niet terug ben, moet je mijn broers roepen en mijn vader en de politie.'

Hij sloop weer weg naar Puch. Bonnie zag hem achter de struiken verdwijnen. Met kloppend hart wachtte ze af.

Maar Koos ging niet verder. Hij durfde toch niet. En hij durfde dat vooral niet te zeggen. Hij liep terug. 'De eieren waren op,' loog hij.

Bonnie geloofde hem graag. Opgelucht haalde ze adem. Ze waren gered!

Vier

Het is maar goed dat je sommige dingen niet van tevoren weet. Dat je niet weet dat alles, je hele leven, zomaar kan veranderen, zonder dat je er iets van merkt.

Het leek een gewone dag. Niets aan de hand. Bonnie had ontbeten met beschuitjes met hagelslag en ze ging naar school. Ze pakte haar rugzakje en trok haar skates aan. Buiten stond Koos al op haar te wachten.

Oma riep haar nog na: 'En voorzichtig zijn, hè? Goed uitkijken met oversteken.'

Bonnie sprak geluidloos mee. 'Jaha,' riep ze en ze zwaaide vrolijk gedag.

Samen met Koos spurtte ze weg.

Net voor de tweede bel waren ze op het schoolplein. Achter elkaar raceten ze naar de klas. De meester stond al achter zijn bureau. Hij nam net een koekje.

Bonnie kende niemand die zo dol op lekkers was als hij.

'Hooo! Halt, uit die skates!' riep hij met volle mond. Bonnie en Koos remden en zakten meteen op de grond om hun skates los te maken. Bonnie wilde haar schoenen uit haar rugzakje pakken. Ze greep in de rugzak, maar vond ze niet.

Shit, vergeten.

'Meester,' riep ze, 'mag ik naar huis? Ik ben mijn schoenen vergeten.'

'Heb je die nodig bij het rekenen?'

'Aaah, meester...'

Maar de meester schudde streng van nee. 'Wie weet ben je wel een talent op sokken en haal je zonder schoenen een tien.'

'Of een drie,' mokte Bonnie.

'We zullen zien.'

'Hier.' Koos gaf Bonnie zijn linkerschoen. Allebei met één schoen aan hinkelden ze samen de klas in. Zo was het best leuk om mank te zijn.

De meester begon de les, net als anders. Allemaal niets bijzonders.

Als hij dacht dat niemand het zag, nam hij stiekem een hapje van een koekje. Dat deed hij altijd.

Bonnie zag het en grinnikte. De meester had niet voor niets zo'n dikke buik.

Dat zat in de familie, zei hij altijd. Bij hem thuis waren ze allemaal fors en stevig. Zeg maar dik, dacht Bonnie. Maar ze waren dan ook dol op snoep.

Bonnie zat dus gewoon op school en het werd gewoon kleine pauze. Misschien was er niets gebeurd als ze naar huis was gegaan om haar schoenen op te halen, dacht ze

later. Dan waren ze misschien nog gewoon met zijn drie-
tjes geweest: mama, oma en zij.

Nadat oma Bonnie had uitgezwaaid, was ze appeltaart
gaan maken. Lekker voor vanmiddag bij de thee, dacht ze.
Ze had de appels geschild en het deeg gemaakt. Ze vulde
de taartvorm en vlocht het laatste deeg eroverheen. Tevreden keek ze naar het resultaat. Neuriënd zette ze de
taart in de oven en stelde de ovenklok in. Ze veegde haar
handen af aan haar schort.

Pas toen zag ze de schoenen van Bonnie, die in een hoek
van de keuken slingerden.

'Vergeten!' mompelde ze.

Ze greep een sjaal van de kapstok en met de schoenen
in een plastic tas liep ze snel de voordeur uit. Misschien
kon ze ze nog net in de kleine pauze aan Bonnie geven.

Op straat was het rustig. Oma stak schuin over. Gehaast
liep ze de hoek om naar de volgende straat. Ze schoot tussen de geparkeerde auto's door en wilde weer oversteken.

Er kwam een auto aan, maar oma merkte niets.

Ook de automobilist had niets in de gaten. Hij zag haar
pas toen ze opeens voor zijn auto opdook. Maar toen was
het te laat.

Hij remde uit alle macht. De remmen piepten en er klonk
een harde doffe klap. De auto schepte oma. Met een enor-

me klap werd ze met haar hoofd tegen de straat gesmakt. Toen de auto stilstond, lag ze roerloos. Uit haar hoofd sijpelde een straaltje bloed.

De tas met Bonnies schoenen lag onder een van de banden.

Thuis piepte inmiddels de ovenwekker. In het hele huis hing de heerlijke geur van appeltaart. De taart was klaar. Het wekkertje bleef maar piepen.

Lis hoorde het in haar slaapkamer en kwam slaperig in pyjama de trap af. Haar haren stonden alle kanten op. Verward liep ze op het geluid af, de keuken in. Er was verder niemand in huis. Even stond ze stil. Ze wist niet goed wat ze moest doen. Maar toen ze de taart in de oven zag staan, drong het tot haar door wat er zo piepte.

Ze pakte de ovenhandschoenen van het aanrecht en trok die aan. Voorzichtig pakte ze de taart uit de oven.

Op hetzelfde moment werd er aangebeld.

Onhandig stond Lis met de gloeiend hete taart in haar handen. Weer klonk de bel. Nu heel hard en lang. Ze werd er zenuwachtig van. Met de taart liep ze naar de voordeur, die ze klunzig met haar ellebogen probeerde te openen.

Toen ze de deur open had weten te krijgen, zag ze twee politieagenten staan. Ze zagen er ernstig uit. Een van hen had een kapotte plastic tas in zijn hand.

De agenten keken naar haar, in haar pyjama met de appeltaart in haar grote ovenhandschoenen.

'Mevrouw Wolk?'

Ze knikte alleen maar.

'Uw moeder heeft een ongeluk gehad,' zei de ene agent. Lis bewoog niet. Ze voelde haar hart wegzinken en begreep dat er iets vreselijks was gebeurd.

Op school had de klas rekenles. Bonnie maakte haar sommen. Koos keek wat wazig, want hij snapte er weinig van. Bonnie liet hem bij haar afkijken.

De meester liep langzaam door de klas. Tomas wilde een spekkie in zijn mond stoppen, maar de meester zag het en was er als de kippen bij. Hij hield zijn hand op. Met tegenzin gaf Tomas zijn spekkie af. De meester keek in Tomas' kastje, waar nog een hele zak lag. Hij pakte de spekkies en nam ze mee. 'Na schooltijd zijn ze weer van jou.' Teleurgesteld ging Tomas verder met zijn sommen.

Toen alle kinderen weer met hun aandacht bij de sommen waren, keek de meester naar de zak met spekkies. Ze zagen er lekker uit. Stiekem pakte hij er een en stopte het zo onopvallend mogelijk in zijn mond.

Op hetzelfde moment zwaaide de deur van het klaslokaal open. Meneer Bouwer, het hoofd van de school, kwam binnen. Hij liep meteen op de meester af. Die deed alle moeite om niet te laten merken dat hij zijn mond vol lekkers had. Meneer Bouwer boog zich naar voren en fluisterde iets in zijn oor.

De meester keek geschrokken. Met zijn ogen zocht hij Bonnie. Die wees Koos net op een rekenfout en had niets in de gaten.

'Bonnie, ga je even met meneer Bouwer mee?'

Verbaasd keek ze op.

Ze kwam overeind en hinkelde vrolijk met meneer Bouwer mee. De kinderen in de klas keken haar na.

Toen ze het kamertje van het schoolhoofd binnenkwamen, zag ze daar tot haar verbazing haar moeder zitten.

'Hé mam, heb je mijn schoenen?' vroeg ze vrolijk.

Lis zei niets. Ze zag erg bleek.

'Niet erg,' zei Bonnie en ze wees naar haar ene voet met schoen. 'Van Koos. Mag ik vandaag lenen. Staat wel stoer, toch?'

Lis zei nog steeds niets. Bonnie keek haar moeder eens goed aan en opeens begreep ze dat dit niet over schoenen ging.

'Wat kom je eigenlijk doen? Is er iets? Heb ik iets gedaan?'

Lis stond op en omhelsde haar. Bonnie, nog steeds op één been, wankelde even. Zenuwachtig begon ze te lachen.

'Oma heeft een ongeluk gehad...' begon haar moeder.

Bonnie keek naar meneer Bouwer om te zien of het waar was. Maar hij wendde zijn blik af en keek strak naar de grond.

Het leek wel honderd jaar te duren voordat haar moeder iets zei. Alsof ze het niet hardop durfde te zeggen.

'Bonnielief…' zei Lis zacht, 'oma is dood.'

Vijf

Sinds haar moeder haar was komen halen, was Bonnie niet meer naar school gegaan. Het waren rare dagen. De begrafenis moest worden geregeld. Er kwamen veel mensen langs en de hele dag ging de telefoon. En elke dag bracht de post kaarten met daarop 'met oprechte deelneming', wat hetzelfde was als 'sterkte'.

Op een middag zat Bonnie samen met Lis in de slaapkamer van oma. Ze keek naar het bed waar oma op lag. Die had een mooie jurk aan. Om haar hoofd zat een groot wit verband.

Lis zat bij oma op het bed. Ze was onrustig en zocht allerlei dingetjes te doen. Ze kamde haar moeders haar, ze vijlde haar nagels en ze schikte haar jurk.

Bonnie keek toe. Ze was eigenlijk meer nieuwsgierig dan verdrietig.

Ik heb natuurlijk wel eens een dooie vogel gezien, dacht ze, en een platgereden kat... Maar oma is mijn eerste dooie mens.

De telefoon ging. Langzaam maakte Lis zich los van haar moeder. Ze liep de kamer uit en Bonnie bleef alleen achter.

Een tijdje bleef ze zitten kijken naar oma, die daar zo stil op het bed lag. Onbegrijpelijk. Alsof ze sliep. Opeens boog Bonnie zich naar haar toe. Heel hard riep ze: 'Whaaah!'

Ze keek naar oma, maar er gebeurde niets. Helemaal niets. Oma reageerde niet. Natuurlijk niet, ze had niet anders verwacht. Maar toch aarzelde ze. Heel even.

Ze begon oma te kietelen. Maar weer gebeurde er niets. Oma was echt dood.

Die nacht lag Bonnie in bed. Ze kon niet slapen en luisterde naar de stilte in huis. Ze knipte haar bedlampje aan. Ze dwaalde met haar ogen langs de posters en platen boven haar bed. Allemaal met olifanten. Grote, kleine, alleen of in groepjes.

Honden of katten kunnen niet huilen, dacht ze. Maar olifanten wel, die hebben echt verdriet. Als er eentje doodgaat, dan laten de andere hem niet in de steek. Die blijven dan bij hem, zo lang als het kan.

Bonnie deed het licht uit en probeerde weer te slapen. Maar het lukte niet. Ze lag maar te draaien en te draaien.

Opeens gooide ze de dekens van zich af en ging uit bed. Op blote voeten liep ze door het donkere huis, naar de slaapkamer van oma.

Even aarzelde ze toen ze voor de deur stond. Ze wilde naar oma, maar ze vond het ook wel een beetje eng. Ze opende de deur en zag oma in het donker liggen. Ze deed het licht aan. Wat was oma mooi zo. Bonnie liep naar haar toe. Ze ging op het bed zitten. Even rilde ze van de kou. Het was fris in de kamer. Toen ging ze naast oma liggen en kroop tegen haar aan. Eindelijk werden haar ogen moe.

Ook Lis kon niet slapen. Ze wilde naar haar moeder en liep haar slaapkamer binnen. Ze schrok toen ze Bonnie zag liggen. Even wilde ze haar wakker maken.

Ach nee, dacht ze, ze liggen zo vredig bij elkaar.

Ze liep naar de koeling die in de kamer stond en zette die uit. Toen pakte ze een deken en legde die voorzichtig over Bonnie heen.

Ze keek een tijdje naar haar dochter en haar moeder. Ze boog zich voorover en gaf Bonnie een zoen. Daarna kuste ze haar moeder. Zachtjes streelde ze haar haren.

Ze ging op een stoel naast het bed zitten. Eindelijk voelde ze zich wat rustiger worden. Het was goed zo. Bij elkaar.

Lis legde haar armen op het bed en haar hoofd erop. Haar oogleden werden zwaar.

Eindelijk viel ook zij in slaap.

Op de dag van de begrafenis waren Bonnie en Lis al vroeg wakker. In een grote zwarte auto waren ze samen met oma naar de begraafplaats gereden. Bonnie had haar nieuwe broek met streepjes aan en Lis een zwarte jurk. Ze had een zonnebril op, dan zag niemand haar roodomrande ogen.

Op de begraafplaats stonden veel mensen. Allemaal kenden ze oma wel, op de een of andere manier. Koos en zijn moeder waren er ook.

In een lange stoet liepen ze achter de begrafenisman aan naar het graf. Bonnie hield haar ogen strak gericht op zijn pandjesjas en hoge hoed. Ze gingen allemaal om het graf heen staan.

Toen de kist in de kuil zakte, sloeg Lis een arm om Bonnie heen en drukte haar stevig tegen zich aan. Koos stond een eindje verder. Er kwam iemand naast hem staan. Toen hij de twee grote damesschoenen zag, schrok hij zich rot. Puch! Meteen maakte hij dat hij wegkwam. Hij duwde iedereen opzij tot hij naast Bonnie stond.

'Niet omkijken,' fluisterde hij. 'Puch is er ook.'

Bonnie keek toch. Recht in het gezicht van Puch, die meteen haar ogen neersloeg.

'Straks steelt ze je oma. Lekker makkelijk. Hoeft ze d'r niet meer te vermoorden,' siste Koos.

'Ssst!' zei zijn moeder en ze trok hem weg.

Lis gooide een handje zand op de kist van oma. Daarna strooide ook Bonnie wat zand.

Het gaf een vreemd geluid, vond ze. Samen met Lis keek ze nog één keer naar de kist.

Toen liepen ze samen weg. Bonnie keek om en zag nog net hoe Koos met zijn voet een hele lading zand op de kist schoof.

Toen de begrafenis voorbij was en ze weer thuiskwamen, schopte Lis meteen haar schoenen uit. Ze deed haar haarknip uit en schudde haar haren los.

'Zo, hèhè.'

Druk pratend liep ze naar de keuken. Ze pakte een grote foto van oma in de tuin en hing die op het prikbord. Bonnie was aan de tafel gaan zitten. Met haar hoofd in haar handen.

'Tjonge,' zei Lis, 'ik heb een lamme arm van het handjes schudden. Al die mensen. Heb je ooit zo'n gezellige begrafenis meegemaakt? Hoe vond je die cake? Heerlijke cake. Oma zou gesmuld hebben. En al die bloemen, wat zou ze die mooi hebben gevonden. Jammer dat ze er niet bij was.' Lis keek naar Bonnie en lachte.

Maar midden in haar lach stopte ze. Haar gezicht vertrok en opeens rolden de tranen over haar wangen. Hartverscheurend begon ze te huilen. Met lange uithalen. Ze stond midden in de keuken en zag er totaal verloren uit. Alsof het nu pas tot haar doordrong dat haar moeder dood was. Dat ze er niet meer was. Nooit meer.

Bonnie sprong op en rende naar haar moeder om haar te troosten. Ze sloeg haar armen om haar middel en legde haar hoofd tegen haar buik. Lis drukte Bonnie stevig tegen zich aan, allebei in tranen.

Zes

Bonnie moest nieuwe schoenen hebben nu haar oude waren overreden. Samen met Koos ging ze op schoenenjacht.

Ze stonden midden in een schoenenwinkel. Om hen heen stonden allerlei hippe modellen uitgestald.

'Hallo!' groette de verkoper hen.

'Cees' stond er op zijn naambordje. Bonnie legde uit wat ze wilde.

Vol overgave stortte Cees zich op zijn taak. Hij haalde de ene na de andere doos te voorschijn. Bonnie paste de ene na de andere schoen.

'Dit is misschien wel wat,' zei hij. 'Deze hebben een symmetrische profielzool met supersonische luchtkussens die elke klap opvangen.'

Koos zag het een tijdje aan. 'Haar oma is dood,' zei hij opeens. 'Overreden.'

Bonnie keek op. Waarom begon hij daar nou over?

Cees deed alsof hij het niet had gehoord en ratelde door: 'Veters van geharde sulfaatvezel, gegarandeerd onbreekbaar.' Hij ging op zijn knie zitten en hielp Bonnie in de schoen. 'Ik heb dit model ook in een indoorvariant, minder profiel, maar meer comfort en…'

'Daarom moest ze nieuwe schoenen,' kwam Koos ertussen.

Cees kuchte eens. Hij voelde zich ongemakkelijk en wist niets te zeggen.

'Ze zaten in de tas van mijn oma,' zei Bonnie daarom maar.

'Die is dus dood,' zei Koos weer.

Bonnie ging staan en bekeek de schoenen aan haar voeten. Groene boksschoenen. *Cool.*

'Deze neem ik,' zei ze beslist, 'en ik hou ze meteen aan.'

Opgelucht kwam Cees overeind.

Bonnie ging de schoenen afrekenen. Bij de kassa stond een grote bak met lolly's, die Koos bij het binnenkomen al was opgevallen. Evenals de schaal met plastic fluitjes in allerlei kleuren.

Terwijl Bonnie betaalde, keek hij strak naar de bak. Het duurde even voordat Cees de hint begreep. Hij gaf hun allebei een lolly. 'Hier.'

Koos had er lol in gekregen.

'Ze heeft ook nog vijf broertjes...' zei hij.

Cees snapte niet wat hij bedoelde, maar Bonnie wel.

'Hun oma is ook dood,' zei ze.

Cees gaf hun nog vijf lolly's. Bonnie wilde weglopen, maar Koos was nog niet klaar. Hij keek een paar keer van Cees naar de schaal met plastic fluitjes. Cees volgde zijn blik en begreep wat hij wilde.

Snel pakte hij een handvol fluitjes. 'Hier,' zei hij. Als ze nu maar snel weggaan, zag je hem denken.

Tot zijn opluchting liepen Bonnie en Koos eindelijk de winkel uit. Hun handen en zakken vol met lolly's en fluitjes.

'Nou doei, tot morgen,' zei Koos likkend aan een lolly. Hij liep door naar huis, terwijl Bonnie het tuinpad op liep. Ze opende de keukendeur en ging op zoek naar haar moeder. Dansend liep ze de keuken door.

'Mam?' riep ze, maar ze kreeg geen antwoord. 'Mam!' Het huis was donker en het bleef stil.

Ze liep naar de kamer en zag Lis op de bank liggen.

'Ik heb nieuwe schoenen, mam. Kijk dan!' Ze maakte een pirouette en stak een voet de lucht in.

Lis reageerde met een piepklein lachje. Ze leek te moe om te kijken. Bonnie pakte een zak chips uit de keukenkast en ging naast haar moeder op de bank zitten. De hele avond zaten ze zo.

De volgende dag na school liepen Bonnie en Koos over het schoolplein. Bonnie draalde wat. Ze had weinig zin om weer in een stil en donker huis thuis te komen.

Gelukkig vroeg Koos: 'Kom je bij mij spelen? Er moet een merrie worden gedekt. Mijn vader wil een veulen hebben.'

Dat wilde Bonnie natuurlijk zien. Het was nooit saai bij Koos, maar dit was wel heel spannend.

Toen ze bij de boerderij aankwamen, renden ze meteen naar de wei om te kijken. Koos' broers stonden er al. Wat leken ze toch op elkaar, dacht Bonnie toen ze Koos en zijn broers naast elkaar zag. Echt familie. Ze moest erom grinniken.

De merrie stond er al. Een knecht hield haar vast. Koos' vader haalde de hengst uit de stal en leidde hem de wei in. Hij snoof en hinnikte van opwinding.

Zijn vader moedigde de hengst aan. 'Dekdekdekdekdekdekdek!' riep hij.

Met luid gehinnik klom de hengst op de merrie.

De kinderen stonden er met hun neus bovenop. Ze wilden niets missen.

Bonnie keek ademloos toe. Ze vond het vies en interessant tegelijk.

'Koooos!' klonk het uit het huis. Zijn moeder riep hem. Balend keek Koos om; hij wilde blijven. Snel probeerde hij zich te verstoppen achter de tractor. Maar daar trapte zijn moeder niet in.

'Koohoos! Komen! Nu!'

Met tegenzin kwam hij te voorschijn. Bonnie bleef ook liever naar de paarden kijken, maar ze liep met Koos mee naar binnen.

Hij moest even op de baby letten. Zijn moeder ging even een boodschap doen.

Zodra ze weg was, sprong Koos boos op de bank. Hij keek naar zijn broertje Niek in de wieg. 'Baby's zijn stom. Je hebt er niets aan!' mokte hij. Hij sprong op de bank alsof het een trampoline was. 'Hij is er áltijd! Ook als je er helemaal geen zin in hebt. En hij gaat nooit meer weg.'

Bonnie luisterde niet. Ze liep naar de wieg en kriebelde de baby even onder zijn voetje. Die merkte niets en sliep onverstoorbaar door.

'Jij hebt echt geluk dat je nooit hoeft op te passen,' zei Koos, terwijl hij verlangend uit het raam keek. In de wei waren zijn vader en de knecht nog steeds druk bezig met de hengst en de merrie. Koos' broertjes zaten nu naast elkaar op het hek.

Bonnie boog zich voorover naar de wieg. Van dichtbij keek ze naar het slapende kindje. Niek lag roerloos.

Opeens riep ze heel hard: 'Whaaaaah!' Net als bij haar dode oma.

De baby schrok wakker en zette meteen een keel op.

'Sukkel!' zei Koos. 'Waarom doe je dat nou?'

'Gewoon, even kijken of hij nog leeft,' zei Bonnie.

De baby krijste nu op volle sterkte. Bonnie kon het niet schelen. Ze vond het wel grappig, maar Koos niet. Hij baalde als een stekker.

'Kop houden!' beet hij zijn jongste broertje toe en cha-
grijnig hield hij zijn handen over zijn oren. Vrolijk lachte
Bonnie hem uit.

Aan het eind van de middag was Bonnie naar huis gegaan. Ze had honger en voelde haar maag rammelen.
'Mam,' riep ze. Het bleef stil. Toen ze de veranda op
liep, vond ze haar moeder. Lis lag languit op een lig-
stoel met een deken over zich heen. 'Hoe laat gaan we
eten?'

'Nou, eh, zeg het maar,' zei Lis sloom.

Wat heb je nou aan zo'n antwoord, dacht Bonnie. 'Wat
eten we?'

Lis staarde voor zich uit. 'Kijk zelf maar even wat er is.
Ik heb niet zo'n trek.'

Bonnie huppelde naar de keuken op zoek naar iets te
eten. Op tafel lag nog een stuk kaas en op het aanrecht
een pakje oude biscuits. Ze trok de deur van de koelkast
open, maar daar stond niets meer in. Toen opende ze de
deur van de vriezer en zag op de middelste plank een
prachtige taart staan.

Een appeltaart.

Mmm, lekker, dacht ze, terwijl ze de taart pakte en
in de magnetron zette om te ontdooien. Algauw geur-
de het in de keuken naar appeltaart. Bonnie kreeg

nog meer trek. Toen de taart ontdooid was, sneed ze er twee knotsen van stukken af en legde die elk op een bordje.

'Hier mam.' Ze gaf Lis een stuk aan. Hongerig begon Bonnie met haar handen te eten. Lis nam het bordje aan en zette het meteen op het tafeltje naast haar.

Na een paar flinke happen zei Bonnie met haar mond vol: 'Heb jij die gebakken?'

Nee, schudde Lis.

'Wie dan?'

Geen antwoord. Ze nam weer een hap en keek peinzend naar haar bordje. Opeens drong het tot haar door. Het was oma's appeltaart.

Ze zette het bordje weg en keek naar het restje taart.

De laatste taart van oma.

Lis keek ook. Ook zíj begreep het nu.

Toen pakte Bonnie het laatste stuk en nam plechtig een hap. Ook Lis nam een hapje. Ernstig aten ze van de taart. Zonder iets te zeggen.

Lis zette haar bordje weer weg. Uitgeput viel ze naar achteren. Ze voelde zich zo moe.

Bonnie at door. Het was stil. Veel te stil, vond Bonnie. Niet leuk stil.

Terwijl ze kauwde, keek ze naar haar moeder.

'... Mam?'

Traag opende Lis haar ogen. Ze glimlachte flauw. Alles kostte haar moeite.

Maar Bonnie moest iets kwijt. 'Ik vind het zo weinig, wij met zijn tweetjes… Het is zo stil.'

Bonnie wachtte even of Lis iets zou zeggen. Ze hoopte dat zij het ook vond. Maar haar moeder zei niets en keek langs haar heen.

'Ik wil een broertje,' zei Bonnie plompverloren.

Lis reageerde nog steeds niet. Bonnie trok aan haar deken. 'Ah mam, mag ik een broertje? Nemen we een baby?'

'Een baby…' zei Lis ten slotte. 'Ik zou niet weten waar ik die vandaan moest halen.'

Bonnie wist het best. Voor een baby had je een man nodig. 'Ik kan een man voor je zoeken.'

Lis trok een gezicht alsof ze er niet aan moest denken.

'Bij het voetbalveld,' zei Bonnie. 'Of bij de garage, daar staan er altijd wel een paar.'

'Ja, maar lieverd, zo gaat dat toch niet.'

'Als ik het nou gewoon netjes vraag…'

Lis keek naar Bonnie en hees zich moeizaam overeind. 'Een baby krijg je niet door netjes te vragen. Een baby krijg je omdat je iemand ontmoet die je heel erg leuk vindt. Zo leuk dat je heel dicht bij hem wilt zijn…'

'En dat je erop kruipt,' zei Bonnie. 'Net als bij paarden. Zag ik vanmiddag bij Koos thuis.'

Lis keek haar verbaasd aan. 'Nou, wel wat zachter. Gezelliger. Meer met lachen ook. En knuffelen en zo… Ik zal eens een boekje voor je kopen.'

Bonnie onderbrak haar. 'Ik wil geen boekje. Ik wil een broertje.'

Lis trok haar tegen zich aan.

'Lieve Bonniebeer van me. Ik snap best dat een broertje nu gezellig zou zijn. Ik gun het je ook echt. Alleen, het zit er even niet in. Wie zou er voor hem moeten zorgen?'

'Ik,' zei Bonnie. Ze deed nu toch ook het huishouden, de was en de vuilnis?

Lis glimlachte: 'Misschien moeten we een huisdier nemen. Bedenk maar eens wat je wilt.'

Bonnie voelde zich afgescheept. Ze maakte zich los uit haar moeders armen.

'Een baby,' zei ze. 'Ik wil een baby.'

'Bon, doe niet zo flauw.'

'Een olifant.'

'Toe nou, Bon.'

'Een babyolifant,' zei Bonnie en ze liep weg naar binnen.

Lis keek haar na en zakte toen weer uitgeput terug in haar stoel.

Zeven

De volgende dag gaf de meester zangles. Hij dirigeerde enthousiast en zijn dikke buik schudde heen en weer. De kinderen zongen mee:

'Er was er eens een ouwe Rus
Die woonde in de Kaukasus
Hij was verliefd op Olga
Olé!
Hij zei: 'k Wil met je trouwen, zus
Dus geef me nu maar gauw een kus
Anders spring ik in de Wolga
Olé!
Ajai Olga, als jij niet van me houdt
Dan spring ik in de Wolga
En kind, die is zo koud
Met jou wil ik mijn wodka de-he-len!'

Bonnie keek eens goed naar de meester tijdens het zingen. Hij was best leuk. Ze broedde op een plannetje. Als de meester nou eens... Maar dan moet ze natuurlijk wel eerst zorgen dat hij bij haar moeder langsging. Ze dacht na en kreeg een idee.

Om flink haar best te doen, ging ze nog harder zingen dan ze al deed.

Koos, die naast haar zat, keek haar verbaasd aan. Hij was met andere dingen bezig. Hij kauwde verwoed op zijn kauwgom en blies een enorme bel. Hij draaide zijn ogen naar Bonnie, om te kijken of zij het wel zag.

Maar Bonnie zong ijverig verder en hield haar blik strak op de meester gericht. Koos keek scheel naar zijn kauwgombel, die groter en groter werd.

Toen knalde hij uit elkaar. Zijn hele gezicht zat onder de roze smurrie.

Bonnie negeerde hem en zong enthousiast: 'Met jou wil ik mijn wodka de-he-len.'

Koos pulkte de kauwgom uit zijn wenkbrauwen.

Aan het eind van de schooldag renden alle kinderen de klas uit. Bonnie treuzelde en wachtte tot iedereen weg was.

'Hé, Bonnie!' riep Koos. 'Kom nou!'

Ze schudde van nee en liep naar de meester. Die zat achter zijn bureau sommen na te kijken. Af en toe zette hij met zijn rode pen een streep of nam hij een dropveter uit het zakje naast hem.

Bonnie ging een beetje verlegen voor hem staan. 'Meester, ik mag niet mee op schoolreisje. Mijn moeder vindt het niet goed.'

De meester keek op van zijn nakijkwerk. Uit zijn mond hing een stuk dropveter. 'Waarom niet?' vroeg hij verbaasd.

'Daarom niet,' zei Bonnie. 'Weet ik niet. Maar ik dacht: als u nou met haar gaat praten, dan vindt ze het misschien wel goed.'

De meester keek even naar de stapel schriften op zijn tafel en toen op zijn horloge. 'Ja. Natuurlijk,' zei hij. 'Maar jij moet mee. Als jij niet meegaat, dan vind ik er ook niets aan. Ik moet nog even wat nakijken en dan kom ik naar jullie toe.'

Bonnie knikte opgelucht. Blij rende ze naar de gang, waar Koos op haar stond te wachten. Samen liepen ze naar huis.

Thuis holden ze meteen naar de slaapkamer van haar moeder. Lis lag op bed een stripboek te lezen. Het was een rommeltje in de kamer. Op het nachtkastje lag een half opgegeten boterham met pindakaas. De vloer was bezaaid met kleren en de gordijnen waren dicht.

'De meester komt eraan!' riep Bonnie. Als een razende begon ze op te ruimen. Ze trok de gordijnen open en gooide de kussens terug op het bed. Snel raapte ze de vui-

le hemdjes en broekjes bij elkaar en mikte die in de was-
mand. De tijdschriften legde ze netjes op een stapel. Verbaasd keek Koos toe.

Lis knipperde met haar ogen tegen het felle daglicht.
'De meester? Wat is er? Heb je iets uitgevreten?'

Nee, schudde Bonnie en ze gooide een kam naar haar
moeder. Die begon automatisch haar haren te kammen.
Toen ze wilde opstaan, riep Bonnie: 'Blijf maar liggen.'

'Zal ik niet naar beneden gaan?' Lis snapte er niets van.

'Nee!' zei Bonnie. 'Dat hoeft echt niet.'

Keurend keek ze de kamer rond. Het was stukken beter
zo. Toen zei ze: 'Hij is aardig. Ik denk dat jij hem wel leuk
vindt. Heel leuk. Heel, heel leuk.'

Lis keek haar peinzend aan. Ze voelde nattigheid. 'Wat
bedoel je?' vroeg ze.

'Niets,' zei Bonnie luchtig. Koos keek haar aan. Hij
snapte er niets van.

Bonnie was inmiddels op weg naar beneden.

Iets lekkers! dacht ze. Daar is de meester dol op, dus...
Ze dook de kelderkast in. Gelukkig lag er nog een rol
koekjes met chocola. Daar werd hij vanzelf vrolijk van.

Even later belde de meester aan. Bonnie opende de deur
en duwde hem de rol koek in handen. Een beetje verbaasd
keek hij ernaar.

'Mijn moeder ligt in bed,' zei Bonnie. 'Ze is niet helemaal lekker...'

Bonnie wees hem de weg naar boven, naar de slaapkamer van haar moeder. De meester knikte begrijpend. Toen hij de trap op liep, opende hij de rol. Ze keek hem na.

Yes! dacht Bonnie en ze stak haar duim omhoog. Koos keek haar troebel aan.

'Kom mee!' zei Bonnie en ze rende de tuin in. Koos volgde haar.

Vanachter de hortensia's keken ze naar het slaapkamerraam van Lis. Bonnie zag de meester met zijn rug naar het raam staan. Af en toe gebaarde hij met zijn handen of nam een koekje.

'Wat moet de meester eigenlijk?' vroeg Koos.

'Dat is geheim,' antwoordde Bonnie. Nu was Koos pas echt geïnteresseerd. Nieuwsgierig keek hij haar aan.

'Ik krijg een broertje,' zei ze.

'Ja,' zei Koos, 'maar wat is nou het geheim?'

'Dat ik een broertje krijg! zei Bonnie ongeduldig.

'Ik krijg zo vaak een broertje. Als je dat al een geheim noemt!'

Met een gek gezicht wees Bonnie naar het slaapkamerraam.

Koos keek langzaam naar het raam en weer naar Bonnie. En weer terug.

Eindelijk snapte hij het. 'Van de meester?!' vroeg hij stomverbaasd.

Bonnie lachte trots.

'Dekdekdekdekdek!' riep Koos.

'Doe normaal!' zei Bonnie en ze gaf hem een duw.

Ze tuurde naar het slaapkamerraam en hield dat goed in de gaten. Koos vond het algauw saai worden. 'Zullen we gaan spelen?' stelde hij voor.

Bonnie zei niets. Ze bleef naar boven kijken.

'Hé, kom op nou!' zei Koos ongeduldig.

Nee, schudde Bonnie zonder haar blik af te wenden.

Koos werd het zat. 'Ik ga, hoor.' Hij liep weg, maar Bonnie bleef op de uitkijk zitten.

Na een kwartiertje kwam de meester weer naar beneden. Bonnie was op de trap voor het huis gaan zitten. De meester nam naast haar plaats. De rol koek in zijn handen was half op.

'Luister, je moeder vindt het prima dat je meegaat op schoolreisje. Ik denk dat je haar verkeerd hebt begrepen.' Hij keek Bonnie in de ogen. 'Gaat alles goed, Bon?'

Bonnie keek hem vragend aan.

Hij keek eens om zich heen. 'Zo zonder je oma?'

O! dacht Bonnie en ze knikte, maar net iets te overdreven. Hier wilde ze het liever niet over hebben. Gauw over iets anders beginnen. 'Mijn moeder is soms… Ze is leuk, hè meester? Ik heb een heel leuke moeder. Een heel, heel leuke, hè?'

De meester keek haar eens aan en knikte.

'Je hebt een heel lieve moeder, die heel veel van je houdt. Dat moet je niet vergeten.'

Bonnie knikte. 'U ook niet,' zei ze.

De meester keek haar niet-begrijpend aan. Toen sloeg hij zijn handen op de knieën en stond op. 'Kom, ik ga eens. Tot morgen dan maar, Bonnie.'

Zodra hij weg was, rende Bonnie naar boven, naar Lis. Ze sprong op het bed, benieuwd hoe het was gegaan tussen haar moeder en de meester.

Lis lag met haar ogen dicht. 'Is-ie weg?' vroeg ze.

Bonnie kneep even in Lis' arm. 'Hij is leuk, hè mam? En hij vindt jou lief. Dat zei hij! Heel lief.'

Lis keek haar aan. Ze snapte de bedoeling. 'Bonnie, hou eens op! Jij ziet dingen die er niet zijn. Je kunt het wel willen, maar zo gáát het niet.'

'Vind je hem dan niet leuk?' vroeg Bonnie beteuterd.

'Jawel, hij is heel leuk. Als meester. Voor jou, niet voor mij…' Moeizaam ging Lis rechtop zitten. 'Voor een man moet je ook iets vóélen. En ik voel niets. Ik ben alleen maar moe…' Ze zakte terug in het kussen. 'Een man wil "leuke dingen" doen. Ik moet er niet aan denken...'

Bonnie lag stil en zei niets.

'Misschien moet je toch eens over een huisdier nadenken. Een dwerghamster is ook leuk, toch, of een...'

'... olifant,' vulde Bonnie aan. Ze wist dat het flauw was, maar ze wilde zo graag een broertje.

Lis zei maar niets meer.

Bonnies ogen dwaalden naar het kastje naast Lis' bed, waarop de doosjes pillen lagen. Ze had allang door dat haar moeder geen pillen meer slikte. Ze lag alleen maar in bed.

'Je neemt ze niet, hè? Als oma dat zag...'

'Oma ziet het niet.'

Bonnie was even stil, toen zei ze: 'Oma zei altijd dat als jij je pillen neemt, dat het dan goed gaat.'

'Oma had makkelijk praten, die hoefde ze niet in te nemen,' zei Lis en ze pakte Bonnies hand. 'Maar met die pillen raak ik dingen kwijt... Ik kan niet meer écht verdrietig zijn en ook niet meer écht vrolijk. Het is net of ze een stukje van je afknippen, van boven en van onder.'

Bonnie trok haar hand terug. Ze wilde niet luisteren. Ze pakte een pil en hield die voor haar moeders mond. 'Hier. Mond open!' riep ze bozig.

Lis duwde haar hand weg. 'Laat mij het maar op mijn manier doen, Bon. Ik word beter. Echt. Beloofd.'

Teleurgesteld en verdrietig liep Bonnie de kamer uit.

Die avond zat ze in haar eentje tv te kijken. Het huis was een rommeltje. Overal stonden vuile borden en kopjes. De vuilnisbak was propvol en de planten voor het raam lieten hun blaadjes vallen. Het zag er treurig en ongezellig uit. Heel anders dan toen oma nog leefde.

Bonnie probeerde het niet te zien. Ze had een olifantenvideo opgezet. Daar werd ze vanzelf weer vrolijk van. Ze at knakworsten uit een blikje. Die had ze vanmiddag gekocht. Ze moest lachen toen ze op de tv een jonge olifant zag huppelen.

'Aaah,' zei ze zachtjes voor zich uit.

Acht

De volgende dag na school riep Koos: 'We gaan naar jou toe.' Maar daar had Bonnie helemaal geen zin in. 'Nee, naar jou.' Bij Koos was het veel gezelliger.

Koos sprong op Bonnies rug en waggelend liep ze over het schoolplein.

'Bonnie!' riep de meester uit de deuropening. Hij kwam naar hen toe. 'Neem je morgen geld mee voor het schoolreisje? Je bent de enige die nog niet heeft betaald. En wel op tijd zijn, hè! De bus wacht niet!'

Bonnie knikte en waggelde verder met Koos.

Met een bezorgd gezicht keek de meester haar na. Hij liep naar het klaslokaal en zocht in zijn bureau naar zijn adressenboekje. Toen pakte hij zijn mobieltje en toetste een nummer in. Hij wachtte even, noemde toen zijn naam en zei: 'Ik wil u graag spreken over een leerling van me. Ik maak me zorgen over haar.'

'Koos! Kómen!' klonk het over het schoolplein. Koos' moeder kwam met de kinderwagen en zijn broers aanlopen. Driftig wenkte ze hem. Koos was al bijna met Bonnie de hoek om.

'O, shit!' zei Koos. 'Helemaal vergeten dat ik naar de tandarts moet.'

Hij sprong van Bonnies rug af en liep mokkend naar zijn moeder en broers toe.

Bonnie keek hem na toen ze met zijn allen de hoek omsloegen. Om haar heen liepen alle kinderen met hun broertjes, zusjes, vriendjes, vader of moeder mee naar huis. Tomas sprong bij zijn vader achter op de fiets.

Ze voelde zich opeens alleen.

Bonnie sloeg de hoek om van haar straat. Ze zag in de verte iemand bij de voordeur van haar huis staan. De vrouw sprak over de heg met Puch. Puch wees naar Bonnies huis en verdween naar binnen. Nieuwsgierig en ook een beetje argwanend kwam Bonnie dichterbij.

De vrouw wilde net aanbellen. Ze droeg een beige jasje en had haar haren in een knotje.

Toen ze Bonnie zag, zei ze: 'Hallo, ik ben Jorien van Jeugdzorg Noord-Holland Noord. Jij bent Bonnie?'

Bonnie knikte afwachtend.

'Je moeder is er zeker niet? Er wordt niet opengedaan.'

Bonnie keek naar boven naar het slaapkamerraam van Lis. De gordijnen waren nog dicht. Ze was niet van plan te zeggen dat haar moeder nog op bed lag.

'Dan is ze winkelen,' zei ze.

Jorien knikte. 'Mag ik even binnenkomen?' vroeg ze toen.

Bonnie opende de voordeur en liet Jorien met tegenzin binnen.

Die liep naar de keuken en keek eens om zich heen. Bonnie zag haar kijken en denken. Ze zag wat zij zag: het aanrecht vol met afwas en lege blikjes, vuil op de grond en een propvolle vuilnisbak.

Bonnie pakte de vuile borden en begon op te ruimen. Jorien hielp mee.

Na een tijdje vroeg ze: 'Hoe gaat het nu met je?'

Bonnie keek op. Hoezo? Wat bedoelde ze?

'Nu je oma er niet meer is,' verduidelijkte Jorien.

Bonnie zei niets.

'Ik heb gehoord dat het niet altijd gemakkelijk voor je moeder is.'

'Wie zegt dat?'

'O, eh… dat heb ik gehoord.'

Bonnie keek haar onderzoekend aan, maar Jorien zei verder niets. Bonnie haalde de was uit de wasmachine. Jorien hielp mee de was op te hangen. Bonnie hing een blouse over de waslijn, maar Jorien pakte hem eraf en liet zien hoe ze hem beter kon ophangen. Zwijgend keek Bonnie toe.

'Hoe is het met de rest van de familie? Tantes in de

buurt?' vroeg Jorien tussen neus en lippen door. Bonnie trok haar wenkbrauwen op.

'Zijn die er?' vroeg Jorien.

Bonnie schudde van nee. Jorien knikte, alsof ze dat al dacht. Ze hing een natte pyjamabroek op. Bonnie pakte nieuwe was. Stiekem probeerde ze Jorien te bekijken. Maar Jorien ving haar blik. Ze glimlachte vriendelijk. 'Fijn, hè, als je niet alles zelf hoeft te doen.'

Bonnie bleef op haar hoede, ze zei geen ja en geen nee.

Toen ze klaar waren, zei Jorien dat ze weer moest gaan. Bij de voordeur haalde ze uit haar schoudertas een kaartje en gaf dat aan Bonnie.

'Hier, dan kun je me bellen. Als er iets is, of als je eens wilt praten… En vraag je aan je moeder of ze me belt?' Terwijl ze haar nakeek, bekeek Bonnie het kaartje waarop Joriens naam en telefoonnummer stonden.

Achter haar kwam Lis in ochtendjas de trap af stommelen. Ze zag er slaperig en een beetje verward uit. 'Wie was dat?' vroeg ze met een kraakstem.

'Niemand,' antwoordde Bonnie en achter haar rug verfrommelde ze snel het kaartje. Dat hoefde haar moeder niet te weten.

'Ik ga even wat eten kopen, mam,' riep ze luchtig en snel liep ze naar buiten.

Negen

Bonnie was naar de supermarkt gelopen. In de winkel bedacht ze waar ze zin in had. Patat! Mmm, lekker.

Met een grote zak diepvriesfriet kwam ze de supermarkt uit. Op de stoep stond een kinderwagen die haar bekend voorkwam. Toen ze eropaf liep zag ze dat het de kinderwagen van Niek was. Koos' jongste broertje lag zachtjes te brabbelen. Verbaasd keek Bonnie om zich heen. Niemand lette op de baby. In de verte zag ze Koos staan bij de singel. Samen met Tomas was hij druk bezig een bal uit het water te halen. Koos stond met een tak in het water te vissen.

'Koos!' riep Bonnie, maar hij hoorde of zag niets.

Ze keek eens in de kinderwagen. Niek begon zachtjes te huilen.

'Stil maar, ssst,' suste ze hem. Ze wiegde de kinderwagen. Het hielp niet. Niek huilde door, steeds harder. Zijn hoofdje werd helemaal rood.

Bonnie aarzelde. Wat moest ze doen? Ze legde de zak friet in de kinderwagen en pakte de baby voorzichtig op.

'Kom maar, kom maar.'

Voorzichtig sloeg ze haar jas om Niek heen. Zo liep ze

een stukje met hem rond. Niemand zag haar. Ze rook de zoete babygeur en voelde het warme lijfje. Mmm, dacht Bonnie. Ze vond het leuk.

'Raad eens wat we eten? Patat. Met mayonaise,' babbelde ze. 'Of heb je liever ketchup? Vind je lekker, hè?' Al sussend liep ze verder weg. Niek werd rustig. Zachtjes streelde ze zijn hoofdje. Ze was trots op zichzelf.

Ondertussen was de moeder van Koos de winkel uit gekomen. Ze sjouwde met twee grote tassen vol boodschappen. Zodra Koos haar zag, liet hij de bal de bal en rende als een speer terug naar de kinderwagen.

Bonnie draaide zich om en wilde met Niek teruglopen naar de kinderwagen. Tot haar verbazing zag ze Koos en zijn moeder al met de kinderwagen weglopen. Ze hadden niet gemerkt dat niet Niek in de kinderwagen lag, maar een zak friet.

Wat moest ze doen? Bonnie keek naar de baby, die inmiddels lekker tegen haar aan sliep. Op een afstandje liep ze achter Koos en zijn moeder aan. Ze durfde de baby niet goed terug te geven. Wat zou zijn moeder wel niet denken? Die was toch al zo snel op haar teentjes getrapt.

De moeder van Koos kwam een bekende tegen, met wie ze begon te praten. Ze stond met haar rug naar Koos en de kinderwagen toe.

Koos nam een boodschappentas van haar over en wilde die voorzichtig op de kinderwagen zetten.

Pas toen zag hij dat de baby weg was. Zijn gezicht vertrok van schrik. Snel keek hij of zijn moeder iets in de gaten had. Maar die kletste gelukkig door zonder iets te merken.

Koos keek om zich heen en zag toen pas Bonnie, die wat verlegen op een afstandje achter hen stond. Ze wees op de bult onder haar jas. 'Baby,' mimede ze. Koos rende op haar af. Zijn moeder had nog steeds niets in de gaten.

'Dombo! Wat doe je nou? Geef hier!' zei Koos zacht, maar kwaad.

Bonnie hield de baby nog even vast. Maar Koos trok Niek ongeduldig uit haar armen. Juist op het moment dat zijn moeder omkeek. Geschrokken zag ze het gesol met haar jongste kind en ze liep meteen met grote passen op hen af.

'Stomme koe!' zei Koos zacht tegen Bonnie. Snel liep hij terug naar de kinderwagen, met een boog om zijn moeder heen. Voorzichtig legde hij Niek weer in zijn bedje.

Hij pakte de zak friet en gooide die naar Bonnie, maar iets te hard. Ze wist hem nog net op te vangen.

Koos' moeder stond inmiddels voor haar. Misprijzend keek ze Bonnie aan en ze opende haar mond om iets te zeggen. Maar ze bedacht zich. Ze draaide zich om en beende weg. Bonnie zag dat ze Koos een draai om zijn oren gaf en hem uitfoeterde. 'Dát is geen oppassen!' hoorde ze haar zeggen. 'Er had ik weet niet wat kunnen gebeuren!'

Bonnie voelde zich ellendig. Zo had ze het niet bedoeld. Aarzelend kwam ze dichterbij.

'Koos kan er niets aan doen,' zei ze tegen de rug van Koos' moeder. Die hoorde haar wel, maar draaide zich niet om en zei niets. Koos duwde ze als een klein vervelend kind voor zich uit. Toen liep ze met driftige passen met de kinderwagen weg. Bonnie keurde ze geen blik waardig.

Verdrietig keek Bonnie hen na. Toen draaide ze zich om en liep naar huis, de koude zak friet tegen haar buik geklemd.

Thuisgekomen liep ze meteen naar Lis in haar slaapkamer. Somber keek ze naar de dekenberg, die er roerloos bij lag. Ze wilde wat zeggen, maar deed het toch niet. Ze ging naast Lis liggen en voelde hoe moe ze was. Prompt viel ze in slaap. In haar armen hield ze nog steeds de zak friet, alsof het een teddybeer was.

Midden in de nacht werd Bonnie wakker. Ze lag half op de zak inmiddels ontdooide friet.

'Mam? Mama?' Ze wilde haar moeder wakker maken, maar er gebeurde niets.

Ze had honger gekregen. Met de zak liep ze naar de keuken en pakte de friteuse. Toen het vet heet genoeg was, gooide ze de friet erin. De frietjes sisten en spetterden in het vet. Als een volleerde patatbakker gooide ze de patat om. Ze had rode wangen gekregen van de inspanning, maar het ging goed. Ze maakte twee bordjes klaar met patat en lekker veel mayonaise.

Trots liep ze met de bordjes naar Lis. 'Mam? Zelf gebakken! Wil je mayo?' Ze trok een stuk deken weg van haar moeder en duwde een bordje onder Lis' neus. Maar Lis reageerde nauwelijks.

Ineens was Bonnie het zat. Ze werd kwaad. Kwaad op haar moeder. Ze hield het bord schuin boven haar moeders hoofd. Het regende frietjes en er viel een dikke klodder mayonaise op Lis' haar.

Bonnie trok aan de dekens en aan Lis. Ze stompte en trok aan haar haren. Net zo lang tot Lis eindelijk iets zei.

'Bonnie! Au! Au! Niet doen!'

Bonnie liet los. De tranen prikten achter haar ogen. 'Je moet normaal doen!' schreeuwde ze. 'Ik wil een moeder! Gewoon een gewone moeder. Eentje die kookt en die eet en die opstaat. Wat heb ik nou aan jou?!'

Uitgeput stopte ze. Ze ging naast Lis liggen. Allebei hijgden ze. Verdrietig en moe. Op het kussen lag overal patat.

Een tijdje lagen ze zo stil. Bonnie staarde voor zich uit. Ze miste oma.

'Mam... weet je wat ik het liefst zou willen?'

Lis antwoordde niet.

'... dat de deur opeens openging en dat oma daar dan stond en riep: "Yes! Jullie zijn er ingetrapt! Ik ben er nog!"'

Lis bleef stil.

'Ik wou dat oma terugkwam. Ze is nu lang genoeg dood... Mam?'

Ze duwde tegen de dekenberg die haar moeder was.

'Mam! Je hoort me heus wel... Je bent niet de enige die zijn moeder mist, hoor!' Zacht zei ze: 'Ik mis haar ook. Ik mis oma. En ik mis jou...' Ze wendde zich van Lis af. Zo, dat had ze gezegd!

Lis lag nog steeds roerloos, maar er rolde een traan over haar wang. Het duurde lang voordat ze eindelijk in slaap viel, met Bonnie dicht tegen zich aan.

Tien

Buiten klonk luid getoeter. Bonnie schoot wakker. Ze sprong uit bed en keek met een slaperig hoofd uit het raam. Voor hun huis stond de bus. Ze was meteen klaarwakker. De schoolreis!

De meester stond op de treeplank te wuiven en te roepen.

'Bonnie! Kom je nou nog?!'

Gelukkig had Bonnie haar kleren nog aan. Snel deed ze haar schoenen aan. Ze gaf haar moeder een haastige zoen op haar hoofd.

'Je komt me vanmiddag halen, hè?'

Vragend keek Lis haar aan.

'Het schoolreisje,' zei Bonnie. 'Hadden we afgesproken. Iedereen wordt door zijn vader of moeder opgehaald... Je moet niet schrikken als je een lege bus ziet, hoor. En niet weglopen. Gewoon blijven wachten. Ja?'

Lis knikte en omhelsde Bonnie even. 'Natuurlijk. Heel veel plezier, lieve Bonniebeer van me.'

Bonnie maakte zich los. 'Niet vergeten, hè, vanmiddag!' riep ze en ze rende de kamer uit.

Langs de dikke buik van de meester schoot ze de bus in.

Zodra ze binnen was, sloot de chauffeur de deur en reed weg. Wiebelend liep Bonnie door het middenpad op zoek naar een plekje. Een beetje verlegen keek ze om zich heen. Ze zocht Koos, maar die zat al naast Tomas.

'Hé, babylokker!' riep Tomas naar haar.

Koos wendde zijn hoofd af toen hij haar zag. Bonnie raakte van slag.

'Bonnie,' riep de meester. 'Hier is nog plaats.' Hij wees op de stoel naast hem. Bonnie aarzelde, maar ging toen bij hem zitten.

'Hoe kun je je nou verslapen? Net vandaag?!' zei hij quasi-verontwaardigd.

In de bus was het een vrolijke boel. De kinderen waren aan het keten en zongen: *'Met jou wil ik mijn wodka de-he-len!'*

Maar Bonnie had geen zin om mee te doen. Af en toe keek ze voorzichtig om naar Koos. Maar hij keek niet één keer haar kant uit.

De bus kwam aan bij de dierentuin. De meester verdeelde de klas in groepjes. Hij legde uit waar ze elkaar weer zouden ontmoeten en hoe laat. Bonnie lette niet echt op. Ze wilde zo graag weer vriendjes zijn met Koos en probeerde zijn blik te vangen. Maar telkens keek hij weg en deed druk met Tomas.

De meester legde uit waar ze welke dieren konden vinden. De giraffen, de leeuwen en de olifanten. Bonnie wist het allang. Ze was hier zo vaak geweest met oma of met Lis.

'Oké, apenkoppies, dan zie ik jullie dus straks bij de ijscotent!' riep de meester en de kinderen waaierden uit. Koos rende er meteen vandoor met Tomas. Bonnie liep in haar eentje weg. Ze wist waar ze heen wilde.

Toen ze voor het hek van de olifanten stond, was ze Koos eindelijk even vergeten. De olifanten kwamen op haar af, want ze kenden haar wel. Bonnie strekte haar hand uit naar de slurven, die haar gedag zeiden. Zachtjes praatte ze met de grote grijzeriken.

'Hé, hallo. Ja, daar ben ik weer. Dat hadden jullie niet gedacht, hè?'

In de verte zag ze de dierenverzorger met een kruiwagen mest opruimen. Hij zwaaide naar haar. Bonnie zwaaide terug en kietelde de oudste olifant onder haar slurf.

Zo stond Bonnie een tijdje. Ze zag niet dat de meester van een afstandje naar haar keek. Toen hij zag dat ze alleen was, liep hij naar haar toe. Hij ging op een bankje zitten tegenover Bonnie en de olifanten. Even keek hij toe.

Toen zei hij: 'Olifant en muis lopen over een bruggetje. Zegt muis tegen olifant...'

'... wat stampen we lekker, hè?' vulde Bonnie aan, zonder naar de meester te kijken.

Ze liep langs het hek. Een van de olifanten liep met haar mee.

'Heb je eigenlijk wel ontbeten?' vroeg de meester toen.

Bonnie gaf geen antwoord.

'Wil je mijn brood eens proeven? Helemaal zelf gebakken door deze meesterbakker.' Hij hield haar zijn broodtrommel vol met boterhammen voor. Bonnie had honger gekregen en nam de boterham gretig aan. Ze nam een grote hap. Smakkend wees ze naar de olifanten. 'Dat is Dora en die kleine dikke is haar kind, Dries... Hier kom ik vaak met mijn oma... kwam... vroeger dan.'

Ze was weer stil. De meester glimlachte naar haar. De olifanten kwamen dicht bij het hek staan. Bonnie wipte een beetje heen en weer en barstte toen los: 'Het is allemaal mijn oma's schuld...'

'Wat?' vroeg de meester.

'Alles,' zei Bonnie kwaad. 'Dat alles fout gaat. Dat komt allemaal doordat zij dood is.'

De meester keek haar aan, maar zei niets.

'Het is haar eigen stomme schuld, hè, dat ze dood is. "Goed uitkijken met oversteken, goed uitkijken met oversteken,"' deed Bonnie haar oma met een gek stemmetje na. 'Dat zei mijn oma altijd tegen mij. En wat doet ze zelf?!'

Kwaad gaf Bonnie een trap tegen de afvalbak naast de bank.

'Hoo!' zei de meester en hij stak zijn been ervoor. Per ongeluk schopte Bonnie tegen hem aan. Ze schrok ervan en sprong op. Bang keek ze of de meester boos was. Maar hij wees alleen maar naast zich op de bank. Ze ging weer naast hem zitten.

Zo zaten ze een tijdje. Af en toe klonk er opeens een gek geluid uit de tuin. De wolven huilden of de apen lachten. Maar Bonnie en de meester zeiden niets.

Bonnie sloeg haar armen over elkaar. De meester deed hetzelfde. Ze keek naar links. De meester ook. Ze kreeg het door. Ze keek naar rechts. Hij ook. Ze kriebelde aan haar neus. Hij ook. Toen trok ze snel haar benen op de bank.

Ha, dat kon de meester met geen mogelijkheid. Buik veel te dik. Ze had hem tuk. Alsof hij diep teleurgesteld was, keek hij haar aan. Bonnie moest alweer een beetje lachen.

'Wist u dat ik naar een olifant ben genoemd? De lievelingsolifant van mijn opa's opa heette Bonnie.'

De meester keek naar de olifanten tegenover hen. 'Dus zij zijn eigenlijk allemaal familie van je?'

Ja, knikte Bonnie.

'Zo!' zei de meester bewonderend.

66

Op de terugweg zat Bonnie in de bus weer naast de meester. 'Hier,' zei hij en hij bood haar een dropveter aan. Toen de bus bijna bij school was, doken alle kinderen op de grond. Bonnie zat dicht bij Koos. Ze vatte moed en vroeg: 'Zullen we straks bij mij spelen?' Maar Koos wendde zich van haar af.

Bonnie voelde zich verdrietig. Maar ze bedacht dat haar moeder haar zo kwam ophalen en klaarde weer een beetje op.

De bus stond stil op het schoolplein. De chauffeur opende de deur en de meester stond op. Even bleef het nog stil, maar toen kwamen alle kinderen juichend omhoog. Haha, gefopt! Hun vaders en moeders lachten vrolijk mee.

Een voor een buitelden ze de bus uit. Bonnie wilde langs de meester de bus uit springen.

'Nou wil je zeker ook dat we je weer met de bus naar huis brengen?' zei hij.

'Mijn moeder komt me ophalen,' zei Bonnie opgewonden en ze keek of ze Lis zag. Geen moeder te zien. Ze keek nog eens goed om zich heen. Maar geen Lis.

Hier was ze al bang voor.

Opeens hoorde ze Tomas hard lachen. 'Hé Bonnie, je moeder!' riep iemand. Ook de anderen lachten nu, zelfs Koos.

Bonnie keek om en zag in de verte Lis aan komen lopen.

Op haar pantoffels en met een jasje over haar nachthemd. Haar haar zat slordig voor haar ogen. Alsof ze slaapwandelde. Ze zag er niet uit.

Het liefst wilde Bonnie door de grond zakken. Ze schaamde zich diep voor haar moeder.

Zonder haar aan te kijken of iets te zeggen liep ze langs Lis. Weg. Naar huis.

'Bonnie! Bonniebeer…' riep Lis haar na.

Maar Bonnie liep door. Ze wilde niets met haar moeder te maken hebben.

Nooit meer.

Elf

Met tranen in haar ogen kwam Bonnie thuis. Ze was boos. Ze was kwaad. Ze was wóédend. Op Lis. Op haar moeder! Ze stormde het huis binnen en rende naar boven. Naar de zolder. Ze wilde zo ver mogelijk van alles en iedereen vandaan zijn.

Lis was inmiddels opgevangen door de meester. Die zag het allemaal gebeuren en loodste haar snel de school in. Toen alle kinderen naar huis waren en het schoolplein weer leeg was, liep ze naar huis. Mensen keken naar haar. Naar haar pyjama en haar pantoffels. Maar ze zag hun blikken niet. Had ze iets verkeerd gedaan? dacht ze. Maar wat dan?

Ze opende de voordeur en riep Bonnie. Ze kreeg geen antwoord. Ze liep naar de keuken, maar die was leeg. Ze keek in de kamer en op de wc. Ze ging onder aan de trap staan en riep naar boven: 'Bonnetje, toe nou?'

Het bleef stil in huis.

Ze opende de tuindeuren en liep de achtertuin in. Bonnie zat natuurlijk in de boomhut. Ze klom op de ladder en keek naar binnen, maar ook daar vond ze Bonnie niet.

Pas toen ze terug wilde lopen naar het huis zag ze haar.

Boven op het dak. Haar hart sloeg over van schrik. 'Bonnie! Pas op! Voorzichtig!' gilde ze.

Bonnie had haar moeder heus wel horen roepen, maar ze had expres niet geantwoord. Ze was nog steeds kwaad. Ze keek uit over de huizen en de bomen om zich heen. Als je klein bent, is de wereld groot, dacht ze. Maar nu leek het net of zij heel groot was en de wereld klein. Zo voelde een olifant zich misschien.

Beneden stond Lis, klein en angstig. 'Bonnie! Hé, wat is er aan de hand?' riep ze. 'Ik ben je toch komen ophalen? Dat wou je toch?'

Maar Bonnie wilde niet luisteren. Ze zei niets.

Aan de andere kant van het huis zag ze de buurman van drie huizen verder met zijn hond lopen. Ze zwaaide even naar hem. Hij schrok zich rot toen hij haar zag. Meteen greep hij zijn mobiele telefoon uit zijn borstzak en begon te bellen. Ook andere voorbijgangers bleven staan en wezen geschrokken omhoog.

Boven op het dak keek Bonnie om zich heen. Daar boven in de blauwe lucht, daar moest oma ergens zijn. Misschien op dat ene wolkje daar.

'Ha oma,' zei ze.

Was oma er maar gewoon weer.

Puch hoorde Lis roepen en roepen. Ze liep de tuin in om te kijken wat er aan de hand was. De poes liep nieuwsgierig met haar mee. In haar hand had ze een pak tomatensap. Ze nam een flinke slok en verslikte zich proestend toen ze Bonnie zag op het hoge dak.

Levensgevaarlijk.

Ze moest iets doen. Ze gooide het pak tomatensap neer en beende met grote passen naar de schuur.

Lis stond ondertussen in de achtertuin te soebatten tegen Bonnie. 'Toe nou, Bon, kom nou naar beneden… Ik doe toch mijn best?'

'Je zet me gewoon voor gek,' riep Bonnie kwaad. 'Ik wil geen rare moeder. Ik wil een gewone moeder.'

'Ja, gewóón…' pruttelde Lis.

Maar dat maakte Bonnie alleen maar nijdiger. 'Ja, gewoon! Gewoon! Gewoon! Je hebt pillen om gewoon te doen! Ik kom niet naar beneden.'

Nooit meer, dacht Bonnie.

Puch had een ladder uit de schuur gehaald. Ze liep ermee naar de zijkant van Bonnies huis, zette hem tegen de muur en schoof hem uit. Wat onzeker stapte ze de treden op, maar ze ging door. Haar blik strak voor zich uit gericht. Ze durfde algauw niet meer naar beneden te kijken. Onder haar begon de poes klaaglijk te mauwen.

Ondertussen scheurde een grote brandweerauto de straat in. De wagen stopte voor het huis en onmiddellijk sprongen er vier brandweermannen uit. Eén brandweerman klom op de automatische ladder achter op de wagen. Langzaam schoof de ladder naar het dak van het huis. Maar aan de achterkant van het huis merkten Bonnie en Lis niets van alle beroering om hen heen.

Lis riep: 'Bon, ik ga naar de dokter. Beloofd. Ik ga echt!'

Bonnie aarzelde. Het werd al laat. De zon was aan het zakken en ze had het koud gekregen. 'Echt waar, Bon. Ik beloof het!' hoorde ze haar moeder zeggen.

Ze keek eens naar haar. Oké, dacht ze uiteindelijk, goed. Ze wilde haar moeder zo graag geloven. Ze klom naar beneden.

De brandweerman op zijn ladder haalde Puch in, die op haar ladder naar boven stuntelde. 'Goedemiddag,' groette hij haar beleefd. Even was Puch overdonderd, maar ze mompelde een groet, alsof het heel gewoon was dat ze elkaar op ladders tegenkwamen.

De brandweerman was als eerste bij het dak. Hij keek links en rechts. Geen kind te zien.

Bonnie was al naar beneden geklommen. Via de dakkapel naar de dakgoot en het platte dak en via het platte dak en de regenpijp in de klimop.

Aan de andere kant van het huis zag hij nog net hoe ze uit de klimop sprong, in de armen van Lis. Lis knuffelde haar en met de armen stijf om elkaar heen liepen ze naar binnen.

De brandweerman gebaarde zijn maten beneden bij de wagen dat ze de ladder weer konden laten zakken. Ook Puch begreep dat haar reddingsactie niet meer nodig was. Met voorzichtige stappen klom ze de ladder weer af.

Toen Puch weer beneden stond, schoof ze de ladder in en liep naar huis. Ze passeerde de grote brandweerwagen. Iedereen was opgelucht dat alles goed was afgelopen.

Ze zag de brandweerman naar haar lachen. Hij wees naar zijn bovenlip en toen naar haar. Puch voelde en besefte toen pas dat ze een grote snor van tomatensap had.

Verlegen veegde ze haar lippen schoon. De brandweerman sprong in de wagen en groette haar glimlachend met twee vingers aan zijn helm.

Puch keek de wagen na.

Twaalf

Bonnie en Lis zaten in de ijssalon met twee grote coupes ijs met slagroom voor zich op het tafeltje. Lis had woord gehouden. Ze was naar de dokter gegaan en had pillen gekregen. 'Kijk,' zei ze en ze liet Bonnie een paar doosjes pillen zien. 'Dit zijn nieuwe pillen en de dokter zegt dat je daar minder last van hebt. Ik ga het helemaal anders doen. Echt serieus slikken.'

'En doorslikken,' zei Bonnie streng, zoals haar oma vroeger deed. Ze wist nog niet helemaal of ze haar moeder nou kon geloven.

Lis lachte. Ze knikte braaf. 'En elke dag vroeg op en op tijd naar bed. Goed eten, genoeg eten. Veel wandelen, frisse lucht en bewegen.' Ze keek wat dromerig naar de ober. Bonnie zag het wel. 'Je blijft wel zitten, hè? Als je gaat dansen, dan ben ik weg.'

'Nee! Ik doe niks. Echt niet.' Lis keek haar smekend aan. 'Help je me, Bon?'

Bonnie kon niet langer streng blijven. Ze lachte naar haar moeder en nam een grote hap ijs. 'Mmm, lekker,' verzuchtte ze.

Lis was niet meteen beter. Maar ze deed heel erg haar best om het te worden. En Bonnie ook. 's Ochtends wekte ze haar moeder met ontbijt op bed.

'Goedemorgen', riep ze als ze binnenkwam en dan opende ze de gordijnen. Lis mompelde wat en werd langzaam wakker. Ze at een paar hapjes. Bonnie opende het ene potje pillen als een echte verpleegster en gaf haar moeder een pil. Ze keek hoe haar moeder hem doorslikte en gaf haar er daarna nog een uit het andere potje. Tevreden knikte ze en nam een hap van Lis' boterham.

En 's avonds zorgde Bonnie ervoor dat ze niet te laat naar bed gingen. Als ze tv zaten te kijken, hield ze de tijd in de gaten. Als het laat werd, zette ze de tv uit en zei: 'Bedtijd, mam.'

Lis stond dan gedwee op, blij dat ze naar bed mocht. Ze voelde zich nog steeds moe.

Zo verstreken de dagen. Iedere dag ging het een beetje beter. Om haar wat op te vrolijken vertelde Bonnie haar moeder alle moppen die ze op school hoorde. Soms moest ze erom glimlachen, maar echt lachen was toch nog wel moeilijk voor haar.

Op een middag kwam Bonnie uit school gehuppeld. Op het garagepad voor het huis stond een blauwe sportwagen zonder dak. Nieuwsgierig liep ze erlangs. Van wie was die? Nog nieuwsgieriger werd ze toen ze binnen haar moeder hoorde lachen. Echt lachen, zoals ze haar in geen maanden had horen doen.

Snel gooide ze haar rugzakje op de trap en duwde de deur van de woonkamer open. Tot haar verbazing stond Cees, de schoenenverkoper, op de veranda, met haar moeder. In zijn nette pak zag hij eruit als een meneer, wat niet erg paste in het rommelige huis van Lis en Bonnie.

Hoe had ze die nou weer opgepikt? dacht Bonnie. Je wist het nooit met Lis.

Cees praatte aan één stuk door over fantastische zolen met eersteklas grip en demping. Of had Lis liever 'een prestatiemodelletje voor hem en haar'?

Lis moest er vreselijk om lachen. Ze gooide haar hoofd uitbundig in haar nek. Zo vrolijk had Bonnie haar in geen tijden gezien.

Pas toen merkte ze Bonnie op.

'Bonnie! Bonnie, dit is Cees. Cees, dit is Bonnie.' Ze zei niet 'Kees', maar 'Sees'.

'Hé!' zei Cees verrast toen hij haar herkende. Hij wees op haar nieuwe schoenen. 'En? Lopen ze lekker?'

Bonnie knikte.

Verbaasd zei Lis: 'Kennen jullie elkaar?'

'Ja ja, ze is bij mij in de zaak geweest,' legde Cees uit. 'Goeie demping, hè, klein boksertje?'

Lis moest weer lachen.

'Dat zijn boksschoentjes. Kleine vrouwtjesboksschoenen,' grapte hij verder.

Lis moest nog harder om hem lachen. Cees lachte gevleid.

Bonnie glimlachte even en trok toen de deur weer dicht. Ze liet ze maar.

Ze ging in de tuin ballen. Ze vond het wel saai, zo alleen.

Opeens hoorde ze achter zich: 'Hoi.'

Koos stond voor het tuinhek, een beetje verlegen. Bonnie keek verrast op, maar ze wachtte af.

'Hebben jullie hagelslag?' vroeg Koos.

Bonnie haalde haar schouders op.

Koos pakte iets uit zijn zak. 'Deze zat bij de hagelslag,' zei hij en hij gooide het naar Bonnie.

Bonnie ving en keek wat ze in haar hand had. Het was een rood olifantje van plastic.

Blij keek ze Koos aan. 'Gaaf!' zei ze.

Koos lachte en Bonnie lachte mee. Opgelucht en dolblij dat het weer goed was.

Het was alsof er niets was gebeurd. Bonnie en Koos gingen naar de boomhut om te spelen.

Onder hen stond Puch in haar tuin met een heggenschaar de heg te knippen. Ze droeg grote gele plastic handschoenen. Af en toe rustte ze even uit en aaide de poes.

Bonnie had stiekem de draadloze telefoon uit het huis gepakt. Koos toetste een nummer in. Puchs nummer. Bonnie keek met de verrekijker wat er ging gebeuren.

Toen Puch haar telefoon hoorde gaan, liep ze het huis binnen. Door het raam van de woonkamer zag Bonnie haar naar de telefoon grijpen.

'Nog even wachten…' zei Bonnie. 'Nú! Hangen!'

Met een druk op de knop verbrak Koos de verbinding. Stikkend van de lach keken ze naar Puchs verbaasde gezicht.

Koos wachtte tot Puch weer buiten was en drukte op de herhaaltoets. Puch hoorde haar telefoon weer overgaan en rende nu naar binnen. Weer nam ze op. Weer niks. Ze snapte er niets van.

Koos pakte ook een verrekijker en keek naar Puch.

'Die handschoenen! Die heeft mijn vader ook, dat is voor als je werkt met landbouwgif.'

'Wat moet Puch nou met landbouwgif?' vroeg Bonnie.

Koos keek haar nadenkend aan. Doodernstig zei hij: 'Dat doet ze door de melk, als ze iemand wil vergiftigen. Hoe denk je dat ze aan al die vermoorde lijken komt?'

Bonnie griezelde, maar ze genoot. Het was gezellig zo. Ze

had Koos' verhalen gemist. En Koos leek blij dat er weer eens iemand naar hem luisterde. Hij raakte op dreef.

'En dan brandt vanbinnen alles weg. Je maag, je darmen, je blindedarm. Alles. En dan zak je als een pudding in elkaar. *Dead!*'

Bonnie trok haar neus op. Bah!

'Kom,' zei Koos, 'nou gaan we bij mij spelen.' Ze sprongen de hut uit en renden het tuinpad af.

Vrolijk sprong Bonnie op Koos' rug.

Toen ze bij de boerderij kwamen, liep zijn moeder net over het erf. Koos stopte abrupt en liet Bonnie van zijn rug glijden. Verbaasd keek Bonnie hem aan.

'Ik mag van mijn moeder niet met je spelen,' zei hij.

'O,' zei Bonnie alleen maar. Ze vond het niet leuk om te horen. Koos zag het.

'Ah joh, daar moet je niet op letten. Ze is gek,' troostte hij.

Bonnie haalde haar schouders op. 'Nee, dan mijn moeder. Die is knetter.'

Ze proestten het allebei uit. Moeders! En verder hadden ze het er nooit meer over. Bonnie was dolblij dat Koos en zij weer vrienden waren.

Voorzichtig, zodat Koos' moeder hen niet zou zien, slopen ze samen giechelend van de boerderij vandaan.

Dertien

Cees kwam steeds vaker bij Bonnie thuis. Om Lis te zien natuurlijk. Die werd steeds deskundiger op het gebied van schoenen. Alles wist ze van lederen zolen, grip en demping.

Bonnie snapte niet wat ze in hem zag, maar Lis vond hem nou eenmaal leuk. En Bonnie was blij dat haar moeder weer vrolijk was.

Op een avond zaten ze met zijn drieën te eten. Lis had er werk van gemaakt en lekker gekookt. Op tafel brandden kaarsen en het zag er feestelijk uit. Lis en Cees praatten en lachten. Bonnie keek eens van de een naar de ander. Ze speelde een beetje met haar servet en zei niet veel. Opeens schopte Lis een van haar schoenen uit en legde haar blote voet op tafel.

Cees was even sprakeloos, maar zei toen: 'Zo zie je ze niet veel. Zo gaaf en regelmatig.' Hij tikte haar tenen een voor een aan. 'Prachtige verhouding. Perfecte wreef. Dit is zeldzaam, doe er iets mee!' Langzaam gleden zijn vingers over Lis' voet. Ze trok een gek gezicht, want het kietelde.

'Ik loop er iedere dag op,' giechelde ze.

'Lopen?' zei Cees. 'Imponeren en uitdagen! Toon wat je

waard bent. Gun jezelf kalfsleer en slangenleer. Gooi die hak omhoog en bevrijd je tenen. Laat de wereld zien wie je bent!'

Lis keek hem vragend aan.

'Jij bent een vrouw voor Prada's.'

Lis lachte gevleid. Zingend verdween ze naar de keuken voor het toetje.

'Wat zijn dat, prada's?' vroeg Bonnie.

Cees boog zich naar haar toe. 'Prada's zijn de Porsches onder de schoenen. Open, elegant, snelle leest, kleurrijke materialen...'

Bonnie luisterde niet echt. Wat kon het haar schelen, die schoenen? Ze dacht aan andere dingen.

'Je kunt hier wel blijven slapen, hoor,' onderbrak ze hem.

Cees hield meteen op over schoenen. Hij keek Bonnie aan en lachte schaapachtig.

Hij denkt zeker dat ik hem leuk vind, dacht ze. Maar dat was een vergissing. Ze vond hem niet leuk, ze had hem nodig.

Lis kwam binnen met de toetjes. Ze zag Bonnie en Cees naar elkaar kijken en keek hen onderzoekend aan. Ze voelde dat er iets aan de hand was. Bonnie begon te lachen en ze lachte mee, zonder te weten waarom.

Na het etentje liet Lis Cees uit. Bonnie was al naar bed, maar sliep nog niet. Toen ze Lis en Cees bij de voordeur hoorde, sloop ze haar bed uit naar de trap.

Bonnie zag Lis en Cees in de hal een beetje ongemakkelijk tegenover elkaar staan.

'Nou, eh ik bel je, goed?' vroeg Cees verlegen en hij pakte zijn jas.

Lis knikte en bloosde.

'Enneh, bedankt voor het eten,' zei hij.

'Jij voor de afwas,' zei zij.

'Nou, eh… tot gauw dan maar.'

Onhandig omhelsden ze elkaar.

Over Cees' schouder zag Lis opeens Bonnie in haar pyjama op de trap zitten. Bonnie gebaarde haar moeder dat ze Cees moest zoenen. Maar Lis was zenuwachtig en aarzelde.

Pas toen Cees al bijna buiten was, vatte ze moed. Ze pakte hem plotseling beet en gaf hem een zoen op zijn mond. Het overdonderde hem even, maar toen zoende hij haar terug.

Bonnie zag toe. Ze vond het een beetje vies, maar ze was blij dat het gebeurde.

Eindelijk waren Lis en Cees uitgezoend. Lis duwde hem weg en sloeg abrupt de deur achter hem dicht.

Ze draaide zich om naar Bonnie. Die sloeg op haar knieën en riep enthousiast: 'Yés!!'

Ook Lis slaakte een juichkreet en gooide haar armen in de lucht.

Lis had muziek opgezet en samen met Bonnie danste ze uitbundig door de woonkamer. Ze was door het dolle heen.

'Is-ie leuk of is-ie leuk, Bon? En knap. Toch? En die af- was! Deed-ie uit zichzelf! Waar vind je een man die een theedoek pakt? Dat is een kans van één op de tweehon- derdduizend, hoor! Bon,' ratelde ze door, 'jij vindt het toch ook een stuk? Ja, hè? Jij bent toch ook blij, Bon?'

Bonnie aarzelde, maar toen ze haar moeder zo verliefd en blij zag, knikte ze lachend. 'Nu kunnen we een baby krijgen.'

'Eentje maar?' zei Lis en ze tilde Bonnie op. 'Wel acht!'

Bonnie moest lachten om die gekke moeder van haar. In de armen van Lis voelde ze zich blij en gelukkig.

Lis liet er geen gras over groeien. 'Kom Bon,' zei ze de vol- gende dag vrolijk, 'we gaan shoppen voor de kleine.' Ze gingen naar het grootste babywarenhuis in de stad, op zoek naar babykleertjes. Bonnie en Lis liepen langs de rekken met rompertjes en pakjes en graaiden in bakken met kleine broekjes en hemdjes.

'Kijk deze nou, Bon,' zei Lis uitgelaten toen ze een piepklein matrozenpakje zag. 'En dit? Vind je dit truitje niet stom met al die knopen?'

Bonnie moest lachen. Ze liepen naar de bak met sokjes. Bonnie verbaasde zich erover hoe klein die waren. Ze keek eens naar haar eigen voeten.

Ondertussen kreeg Lis voortdurend sms'jes van Cees. Gniffelend liet ze haar mobieltje af en toe aan Bonnie zien. 'Zomerse zoenen,' las Bonnie, of: 'Ik droom van je, C.'

Bonnie maakte zich geen zorgen om haar moeder en Cees. Ze was niet bang dat hij zou blijven. Ze kende haar moeder. Lis was nou eenmaal niet goed met mannen. Ze kon ze niet houden, zoals ze zelf zei. Zo snel verliefd als ze was, zo snel was het ook weer over. Dan was het 'dag Ruud' of 'dag Rik' of 'dag Cees'. Zo ging het. Altijd.

Lis en Bonnie hadden hun armen vol met kleertjes. Ze liepen naar de kassa om af te rekenen.

'Is het voor uzelf?' vroeg de verkoopster aan Lis. Die begon hard te lachen en hield zichzelf een rompertje voor. 'Lijkt me wat te klein! Toch?'

Bonnie grinnikte.

Stijfjes vroeg de verkoopster: 'Ik bedoel, voor uw baby? Als u de datum raadt waarop uw kindje wordt geboren, dan ontvangt u een gratis HappyBabyExtrapakket. Zit u er drie dagen naast, dan wordt het een HappyNormaal en zit u er twee weken naast, dan is het een HappyBasic. Hier is een wedstrijdformulier.'

'Jaaa, jottem!' juichte Lis. 'Een wedstrijdformulier! Bon, waar gokken we op?'

Bonnie haalde haar schouders op. Wist zij veel.

'Welke datum is het vandaag? 10 juni? Doen we 10 juni,' zei Lis en ze vulde het formulier in. De verkoopster keek stiekem even naar haar buik. Niks te zien. Zo plat als wat. Ze begreep er niets van.

'10 juni?' vroeg ze niet-begrijpend.

'Ja, volgend jaar natuurlijk,' zei Lis en ze gaf het papier met een sierlijk gebaar terug aan de verkoopster.

Met tassen vol kleertjes liepen ze de winkel uit. De verkoopster keek hen fronsend na tot ze uit het zicht waren verdwenen.

Veertien

Bonnie zat op school. De klas had aardrijkskunde. Alle kinderen moesten voor zichzelf werken aan een paar vragen. De meester was in zijn stoel in slaap gevallen. Hij knikkebolde en de kinderen moesten zachtjes om hem lachen.

Terwijl Bonnie nadacht of het antwoord klei of zand moest zijn, keek Koos naar buiten. Daar was het vaak veel leuker. Daarom zag hij ook de auto die voorbijreed. Een circuswagen met een clown erop geschilderd. Koos ging staan om het beter te kunnen zien.

Er kwam circus in de stad. Op de achterkant van de wagen stond een grote olifant met een juffrouw erop in een roze glitterpakje met veren op haar hoofd.

Koos stootte Bonnie aan: 'Kijk dan!'

Opgetogen keek ze de wagen na.

De circuswagen was de hoek nog niet om, of er scheurde een andere wagen het schoolplein op. Het was de flitsende sportwagen van Cees. Cees had een zonnebril op en liet een arm uit het raampje hangen. Naast hem zat Lis met haar nieuwe zomerjurk aan. Ze droeg een vrolijke sjaal, die wapperde in de wind. Cees stopte de auto vlak naast het lokaal.

'Hé Bonnie,' riep Tomas. 'Je moeder heeft een nieuwe pyjama!' Bonnie deed alsof ze hem niet hoorde. Maar Koos gaf hem een dreun.

Lis was de auto uit gesprongen en zwaaide door het raam naar Bonnie.

'Bon! Kijk! Nieuwe schoenen. Kalfsleer!' Uitbundig liet ze haar nieuwe schoenen zien. Open sandaaltjes met rode bandjes. Ze wees naar Cees. 'Hij neemt me mee uit. Ik weet niet wanneer ik thuiskom. Ga je niet te laat naar bed?' Glimlachend schudde Bonnie van nee.

De meester was wakker geworden. Hij volgde het gesprek, maar zei niets.

Lis wierp Bonnie een kushandje toe en sprong weer in de auto. Met piepende banden reed Cees weg.

Alle kinderen keken de auto na. Bonnie glom van trots.

'Hè?' zei Koos verbaasd toen hij Cees zag. 'Dat was die man van de schoenenwinkel...'

Ja, knikte Bonnie lachend. Koos lachte mee. De meester niet. Hij had alles gezien en gehoord, maar nu was het genoeg.

'Oké, zitten en doorwerken nou!'

Zuchtend gingen de kinderen weer zitten. Aan het werk. Maar Bonnie genoot nog lekker na.

Na school gingen Bonnie en Koos meteen naar het circus. Het was niet moeilijk te vinden, want de twee masten van de grote tent stonden al overeind en waren van verre te zien. Ze liepen het circusterrein over, waar het gezellig rommelig was. Overal stonden wagens en de rood-witte tent werd opgezet. In een hoek stond een kameel te eten van een baal hooi en een jongleur was aan het oefenen met tien ballen tegelijk. Opgewonden keken Bonnie en Koos toe.

Ze liepen verder. Bonnie speurde om zich heen. Eindelijk zag ze wat ze zocht. In de verte stond achter een groot hek een olifant.

'Koos! Kom!' Ze rende erheen met Koos achter zich aan. De olifant stond alleen.

'Ben jij hier helemaal alleen?' vroeg Bonnie liefkozend toen ze voor hem stond. Ze strekte haar hand uit. De olifant stak zijn slurf naar haar uit om terug te groeten.

'Dat is helemaal niet goed voor een olifant, om alleen te zijn,' zei Bonnie tegen Koos. 'Olifanten zijn gezelschapsdieren.'

Koos was eerbiedig op een afstandje blijven staan.

'Kijk,' zei Bonnie tegen de olifant. 'Dat is Koos, die is bang.'

'Ik ben helemaal niet bang!' zei Koos meteen, maar hij bleef staan waar hij stond.

'Ik krijg een broertje. Die houdt wél van olifanten,' zei Bonnie tegen de olifant. 'Koos, kom nou!' wenkte ze.

Koos wilde zich niet laten kennen en kwam wat dichterbij.

Net op dat moment hief de olifant zijn slurf en trompetterde. Koos viel zowat achterover van schrik.

Bonnie moest vreselijk lachen. 'Geef hem die appel maar die je hebt,' zei ze. Koos zocht in zijn rugzak en gooide de appel naar Bonnie.

Bonnie hield de appel voor de slurf van de olifant, die hem meteen aannam. Stralend keek ze hoe hij de appel in een oogwenk naar binnen had gewerkt. 'Zie je nou wel, dat vind je lekker, hè?'

Vijftien

Aan het eind van de middag huppelde Bonnie opgewekt naar huis. Olifanten konden gevaar ruiken op kilometers afstand. Dat wist Bonnie en ze wilde dat ze dat zelf ook kon. Maar zij rook niets toen ze op haar huis af liep. Nietsvermoedend rende ze naar de achterdeur. Ze schrok zich dan ook dood toen Jorien plotseling achter haar stond. Alsof ze uit het niets was opgedoken.

'Ha Bonnie! Is je moeder thuis?' vroeg ze opgewekt.

Bonnie schudde van nee. Ze liet haar binnen. Onmiddellijk stortte Jorien zich op de keuken. Ze pakte de vaatborstel en begon af te wassen. Bonnie keek van een afstandje toe, terwijl ze wat met een bal speelde. Ze wist niet goed wat ze ervan moest vinden.

Toen de vaat was weggeruimd, ging Jorien tegenover Bonnie aan de keukentafel zitten.

'Bonnie? Als jij een paar broertjes of zusjes had, dat zou leuk zijn, hè?'

Bonnie knikte glimlachend. Nou en of, dat zou ze heel leuk vinden.

Jorien knikte ook. 'Daarom dacht ik... Wat zou je vinden van een pleeggezin?'

Bonnie schrok zo dat ze even niets wist te zeggen. Nee, dat wilde ze niet. Geen pleeggezin! Nooit!

'Een vrolijk pleeggezin waar goed voor je wordt gezorgd,' ging Jorien door.

Bonnie barstte uit: 'Mijn moeder zorgt hartstikke goed voor me! Waar bemoei je je eigenlijk mee? Mijn moeder is de liefste en de beste moeder van de wereld!'

'Nou, ik heb begrepen dat ze nogal eens moe en somber is…'

'Helemaal niet. Met mijn moeder kun je juist lachen,' riep Bonnie verontwaardigd.

Jorien zei niets meer. Ze glimlachte naar Bonnie en gaf haar een aai over haar bol. Bonnie trok haar hoofd terug. Hier had ze helemaal geen zin in. Wantrouwend keek ze naar Jorien.

'Ik snap best dat je bij je moeder wilt blijven. En je bent natuurlijk geen baby meer, dat scheelt. Nou, we zullen het nog even aanzien,' zei Jorien. 'Het zou anders zijn als er nog kleine kinderen waren, dan grijpen we sneller in.'

Bonnie verstijfde van schrik. Ze hoorde niet meer wat Jorien verder zei.

Jorien stond op en pakte haar schoudertas. 'Kom, ik moet gaan.' Bij de deur zei ze: 'Ik kom binnenkort terug om een babbeltje te maken met je moeder.'

Bonnie deed de deur achter haar dicht en zakte op de

trap neer. De woorden van Jorien gonsden na in haar hoofd. Ze vluchtte naar de boomhut. Verdrietig en verward. Met haar armen om haar knieën zat ze in elkaar gedoken. Haar ogen waren rood van het huilen.

Puch liep net haar tuin in om kruiden te plukken. Opeens hoorde ze iets. Verbaasd keek ze om zich heen, maar ze zag niets. Ze volgde het geluid en kwam uit bij de boomhut.

Aarzelend klom ze de ladder op.

Toen Bonnie Puchs hoofd in de opening van de hut zag verschijnen, was ze te verdrietig om te schrikken. Puch aarzelde even, maar klom toen verder de hut in en ging naast haar zitten. Haar grote voeten voor zich uit. Ze paste nauwelijks in de kleine hut. Ze zei niets en keek naar Bonnie, die haar hoofd had verborgen in haar armen. Puch wilde troosten, maar ze wist niet goed hoe. Een beetje onhandig legde ze haar arm om Bonnie heen.

Die kroop meteen tegen haar aan en snikte nog harder.

Zo zaten ze een tijd zonder iets te zeggen.

'Kom mee,' zei Puch uiteindelijk. 'Gaan we wentelteefjes eten.'

Bonnie was moe van het huilen en ook wel een beetje hongerig. Ze klommen samen de hut uit en Bonnie volgde Puch naar haar keuken.

Bonnie keek eens om zich heen. Het was best gezellig.

Niet raar of eng of zo. De zwarte poes lag in elkaar gekruld op een stoel en deed alleen even één oog open toen ze binnenkwamen. Op tafel stond een bos vrolijke bloemen en op het prikbord hingen ansichtkaarten. Op een ervan stond een foto van een olifant, een Indische, zag Bonnie meteen.

Puch was druk in de weer met brood, eieren en een koekenpan. Binnen de kortste keren rook het heerlijk. Bonnie zat aan de keukentafel en keek naar haar.

Ze voelde zich wel op haar gemak. Puch was eigenlijk best aardig, dacht ze. Die gekke Koos met zijn enge verhalen.

Puch gaf haar een wentelteefje. Bonnie nam een hap. Ze begon als vanzelf te praten. Ze luchtte haar hart. 'Gewoon een paar broertjes, dat had mijn moeder beloofd. En dan was ik nooit meer alleen... Maar nou mag het niet van Jeugdzorg. Want dan moet ik naar een pleeggezin.'

Puch zei niets, maar luisterde. Bonnie voelde zich weer wat minder verdrietig. Ze nam een hap en zei met volle mond: 'Mmm, lekker!'

Puch glimlachte.

Na een paar happen zei Bonnie: 'Ik wil geen broertjes meer. Ik wil gewoon bij mijn moeder blijven. Ik ga echt niet naar een pleeggezin.'

Puch gaf haar een tweede wentelteefje. Terwijl ze naast

Bonnie stond, keek die eens naar Puchs voeten. Ze verge-
leek ze met haar eigen voeten. 'Wat voor maat is dat eigenlijk?' vroeg ze toen.

Puch schuifelde haar voeten meteen weg. '44,' zei ze bedeesd.

'Dat zit zeker in de familie? Grote voeten?'

'Was het maar waar… Ik heb geen familie.'

'Helemaal niks?'

'Helemaal niks.'

'En ook niet ergens een oom of een tante? Of een nicht-
je misschien?'

'Nee,' zuchtte Puch en ze bakte een nieuw wentelteefje.
'Geen neven, geen nichten. Helemaal niks. Niemand die
op me lijkt. Niemand die zegt op wie ík lijk… Maar dat
went wel, hoor.'

Bonnie keek peinzend voor zich uit. Opeens zag ze
Koos buiten lopen. Hij was op zoek naar haar en ging met
zijn handen om zijn ogen voor het keukenraam staan, om
naar binnen te kunnen kijken. Ze wenkte hem binnen.

Maar Koos schudde hartgrondig nee. Toen hij zag dat
Bonnie aan het eten was, legde hij zijn handen om zijn
hals en deed alsof hij doodging. 'VER-GIF!' zei hij overdreven zonder geluid.

Bonnie schrok ervan en spuugde haar hap meteen uit.
Puch had niets in de gaten en bakte rustig door. Bonnie

keek eens naar de hap op haar bord. Ze rook en aarzelde. Had Koos dan toch gelijk?

Opeens dacht ze: ik moet hier weg! Ze keek naar Puch, die met haar rug naar haar toe stond. Stilletjes sloop Bonnie de keuken uit naar buiten, naar Koos.

'Weet je wat nooit went?' zei Puch. 'Zonder familie hoor je nergens bij. Tenminste niet vanzelf. Voor familie hoef je geen moeite te doen. Die zijn er en die houden van je, zo makkelijk is dat.'

Het wentelteefje was klaar. Met de pan in haar handen draaide Puch zich om. Geen Bonnie. Verbaasd keek ze om zich heen. Ze ging zitten en nam een beetje treurig een hap van het wentelteefje.

Zestien

Bonnie lag in bed. Het was al laat en heel stil. Met open ogen keek ze het donker in. *Het zou anders zijn als er nog kleine kinderen waren, dan grijpen we sneller in.* Allerlei gedachten kronkelden in haar hoofd als spaghetti. In de war raakte ze ervan.

Maar één ding wist ze heel, heel zeker. Ze mocht dan misschien een wiebelmoeder hebben, maar het was wel de allerliefste moeder van de wereld. En ze wilde nooit en nooit en nooit bij haar weg. Dan maar geen broertje.

Opeens schoot ze recht overeind in haar bed. Haar moeder mocht dus geen baby krijgen! Als er een baby kwam, zou Jorien van Jeugdzorg ingrijpen. En dan moest Bonnie naar een pleeggezin. En dat nooit! dacht Bonnie.

Ze moest er dus voor zorgen dat Cees niet op haar moeder zou kruipen!

In de verte kwam een auto aanscheuren. Hij stopte voor het huis. De bassen van de muziek dreunden zwaar door de nacht. Bonnie hoorde gelach en gestommel. Lis en Cees kwamen thuis. De voordeur ging open.

Zachtjes ging Bonnie haar bed uit. Op blote voeten liep

ze naar de trap. Beneden zag ze Lis en Cees in innige omhelzing staan in de hal. Lis had haar handen om Cees' nek gelegd. Cees deed Lis' jas uit. Zij trok die van hem uit. Ze pakte zijn hand en wilde met hem de trap op gaan.

Maar midden op de trap stond Bonnie.

'Waarom lig jij nog niet in bed?' vroeg Lis met opgetrokken wenkbrauwen.

'Mam? Kom je me instoppen? ' vroeg Bonnie met een klein stemmetje.

Cees hing om Lis heen en ging langzaam met zijn hand naar haar dijbeen.

'Morgen,' zei Lis.

'Maar ik moet je wat zeggen…'

'Morgen, Bon, je hoort me.' Lis grimaste naar haar: zie-je-niet-dat-het-nu-niet-kan? 'Je moet naar bed. Hup!'

Ze draaide Bonnie om en duwde haar zachtjes naar boven. Heel langzaam liep Bonnie de treden op. Bij de voorlaatste tree stond ze stil. Beneden hoorde ze haar moeder en Cees opgewonden praten en lachen. Er klonk muziek en het klinken van glazen.

Dit ging niet goed. Ze moest iets doen. Ze draaide zich om en ging de trap weer af.

'Mam?' zei ze toen ze de deur van de woonkamer openduwde. Lis en Cees zaten knus naast elkaar op de bank. Cees had een voet van Lis in zijn hand en sabbelde aan haar tenen. Lis trok haar voet terug toen ze Bonnie zag.

'Ja?' zei ze. Cees keek geërgerd.

'Er is een circus bij het voetbalveld en ze hebben een olifant.'

'Bonniebeer, moeten we dat nú bespreken?'

'Ja, want ik móét erheen. Ik heb al zó lang geen olifant gezien. Maar straks zijn de kaartjes op en…' Bonnie wipte van haar ene op haar andere been. 'Kom je even op mijn kamer om het af te spreken?'

Cees bemoeide zich ermee. 'Ik heb kaarten. De beste plaatsen. Wij gaan met zijn drieën naar het circus.'

Bonnie geloofde er niets van. 'Waar zijn die dan?' vroeg ze wantrouwend.

'Eh… in de auto, in het dashboardkastje,' zei Cees. 'Echt waar, we gaan morgen naar het circus. Maar dan moet je nu wel als de sodemieter gaan slapen.'

Bonnie draaide zich om en ging naar bed. Maar slapen deed ze niet.

Ze hoorde hoe Lis en Cees giechelend de trap op kwamen. De deur van Lis' slaapkamer ging open en dicht. Bonnie sprong haar bed uit en trippelde naar de kamer van Lis. Ze duwde de deur open. Lis en Cees stonden te zoenen.

'Er zit een wesp op mijn kamer…' zei ze klaaglijk.

Lis maakte zich van Cees los. Die zuchtte geïrriteerd. 'Wacht maar even,' zei hij. 'Dat regel ik wel.'

Met grote passen liep hij Bonnie achterna.

'Nou, waar zit-ie dan?' vroeg hij toen ze in haar kamer stonden.

'Daar.' Bonnie wees naar een hoek. Cees trok een van zijn schoenen uit en liep er dreigend mee naar de muur.

'O nee, dáár!' zei Bonnie plots en ze wees naar een andere hoek.

Cees draaide zich om. Geen wesp te zien.

'Dáár!' zei Bonnie weer en nu wees ze naar de muur achter hem.

Cees keek haar eens aan. Hij begon te begrijpen dat ze hem ertussen nam, maar hij speelde het spelletje mee.

'Ja, ja, dáár dus.'

Langzaam liep hij met zijn arm opgeheven op de muur af en mepte er hard met zijn schoen op.

'Ziezo. Dood!' zei hij triomfantelijk. 'En nu slapen. Ik wil niets meer horen!' Streng keek hij Bonnie aan.

Ze kroop opnieuw haar bed in. Cees ging de kamer uit en sloeg de deur met een klap dicht.

Maar Bonnie was er niet gerust op. Ze moest iets nieuws verzinnen. Zodat ze maar niet met elkaar... Want stel dat... Nee, dat mocht echt niet.

Ze ging haar bed uit. 'Mam, ik heb zó'n dorst!' zei ze terwijl ze de deur van Lis' slaapkamer openduwde.

Lis en Cees lagen nu op bed. Cees' overhemd stond

open en Lis' jurk was opgetrokken tot boven haar dij.

Net op tijd, dacht Bonnie.

'Naar bed!' Lis wees streng naar haar kamer. Cees draaide zijn ogen weg naar het plafond.

En zo ging het maar door. Bonnie bedacht steeds een goede smoes. Ze had het zo warm of juist zo koud. Er zaten muizen onder haar bed. Ze had jeuk op haar rug. Kon Lis even krabben misschien? Er zaten enge mannen in de tuin. Ze hoorde hun stemmen. 'Kom dan luisteren, mam!' zei ze.

Lis en Cees keken steeds wanhopiger. En ook steeds kwader.

'Dit is echt de laatste keer, Bonnie, ik wil je nu niet meer zien. Weg nu. Slapen!' zei Lis boos toen Bonnie voor de zoveelste keer haar kamer binnen kwam vallen.

'Oprotten!' viel Cees tegen haar uit. Hij was het helemaal zat.

Bonnie duwde haar hoofd in haar knuffel en barstte in huilen uit. Nou ja, ze deed net alsof. Ze snikte er luidkeels op los. Met het gewenste effect. Lis zuchtte diep. Ze glimlachte verontschuldigend naar Cees, die baalde als een stekker. Toen wees ze Bonnie op de plek naast haar.

'Nou vooruit, kom dan maar.'

Bonnies tranen waren meteen gedroogd. Snel wipte ze onder de dekens tussen Lis en Cees in. Tevreden dat het gelukt was. Nou konden ze geen baby maken.

Maar ze bleef ze in de gaten houden. Toen Lis en Cees allang sliepen, lag zij nog klaarwakker. Ze hield de wacht. In zijn slaap strekte Cees zijn arm uit naar Lis. Bonnie pakte zijn hand en legde hem weer terug op zijn eigen helft. Ziezo. Geen gedonder.

Zeventien

De volgende dag zat Bonnie met kleine oogjes in de klas. Bekaf na een nacht wakker liggen. De meester gaf geschiedenisles. Hij vertelde over de Germaanse goden.

Bonnie probeerde hem te volgen, maar het ging niet erg. Ze was zo moe. Ze legde haar hoofd op haar armen.

'Hoe heten die goden ook alweer?' vroeg de meester. Een paar kinderen staken hun vinger op.

'Ilse?'

'Wodan en eh…' Ilse wist het niet meer.

De meester zag Bonnie op haar tafeltje liggen slapen. 'Bónnie?' vroeg hij.

Ze schrok op. Hè, wat?

Met zijn hand voor zijn mond zei Koos haar zachtjes voor: 'Donau.'

'Donau,' herhaalde ze. Toen ze aan het gezicht van de meester zag dat dat niet was wat hij wilde horen, gokte ze: 'Eh… Wenen? De hoofdstad van Oostenrijk?'

Alle kinderen lachten haar uit. Haha, helemaal fout.

Bonnie liet haar hoofd weer op haar armen zakken. Ze wilde alleen maar slapen.

De meester zag het, maar hij zei verder niets.

In de pauze, toen alle kinderen al naar buiten waren, lag Bonnie nog steeds te slapen. Koos was naast haar blijven zitten. De meester had voor zichzelf thee gehaald met een koekje. Hij kwam weer binnen.

'Ga jij maar naar buiten, ik blijf hier,' zei hij tegen Koos.

'Meester,' zei Koos ernstig, 'ik denk dat ze vergiftigd is.'

Naar buiten jij, gebaarde de meester met zijn hoofd.

Hij ging naast Bonnie zitten en aaide over haar haren. Voorzichtig maakte hij haar wakker. Hij schoof zijn kopje thee naar haar toe. Net toen hij een grote hap van zijn koekje wilde nemen, bedacht hij zich en gaf het aan Bonnie.

'Hier, voor jou... Nou, vertel me nu maar eens waarom je zo moe bent.'

Bonnie keek hem aan. Haar haar hing half voor haar ogen. Eerst wilde ze wat verzinnen, maar de meester was zo aardig en ze vond het ook wel fijn dat ze het hem kon vertellen.

Ze vertelde hem dat ze zo graag een broertje wou, of een zusje. Maar nu dus niet meer, omdat Jorien van Jeugdzorg dat niet goedvond. Want dat ze dan naar een pleeggezin zou moeten.

De meester luisterde aandachtig.

'En ik slaap 's nachts dus niet,' ging Bonnie verder. 'Om ervoor te zorgen dat mijn moeder geen baby krijgt.'

De meester knikte begrijpend. Toen Bonnie uitverteld was, dacht hij even na.

'Dat is heel verstandig van je, Bon,' zei hij toen. 'Maar behalve wakker blijven zijn er nog wel meer manieren om geen baby's te krijgen.'

Bonnie begreep niet waar de meester het over had. Ze deed maar alsof ze het snapte en knikte.

'Wat vind je ervan als ik straks in de grote pauze eens even met je moeder ga praten?' vroeg hij.

Bonnies gezicht klaarde op. Dat was fijn, want de meester kon vast helpen.

'En als jij nu eerst eens goed uitslaapt?'

Hij nam haar mee naar de lerarenkamer en wees op de bank. 'Hier. Ga lekker liggen en doe je ogen dicht.' Hij pakte een deken uit een kast en legde die over haar heen. Zachtjes trok hij de deur achter zich dicht. Bonnie sliep meteen.

Ze merkte niet dat de deur openging en de meester Lis binnenliet. Die liep op haar tenen naar Bonnie toe. Maar halverwege stootte ze tegen een tafeltje, waar een stapel boeken op lag. Die vielen allemaal op de grond. Bonnie werd wakker. Ze zag Lis fladderend de boeken oprapen en terugleggen.

'Oeps!' giechelde Lis.

Echt mijn moeder weer, dacht Bonnie en ze moest een beetje lachen.

Lis ging naast haar zitten en pakte haar vast.

'Kleintje toch, lieve Bonniebeer! Wij blijven ALTIJD bij elkaar. Je moet je geen zorgen maken. Ik zal het nooit, echt NOOIT goedvinden dat ze jou bij mij weghalen!'

Bonnie keek haar moeder in de ogen. 'Dus geen baby?' vroeg ze.

'Jij bent het allerliefste wat ik heb op de wereld! Dus geen baby,' antwoordde Lis.

Opgelucht haalde Bonnie adem. Ze kwam van de bank af, trok haar T-shirt recht en schudde haar haar goed. 'Baby's zijn ook niet altijd leuk, hoor,' zei ze. 'Je moet er steeds op passen en ze poepen maar en ze spugen.'

Lis pakte haar stevig vast. Maar Bonnie was er nog niet helemaal gerust op. 'Je weet toch wel hoe het moet, hè? Geen baby krijgen?'

'Ja, hoor,' lachte Lis. 'Ik ben op de hoogte.' Ze nam haar dochter in haar armen en gaf haar een dikke zoen. Toen zei ze: 'Kom, je moet terug naar de klas. Cees en ik komen je straks uit school halen. Dan gaan we eerst naar de pizzeria en dan...'

'... naar het circus!' vulde Bonnie blij aan.

Achttien

De bel rinkelde door de school en de kinderen renden de klas uit. Bonnie liep het schoolplein op en keek om zich heen. Geen Lis, geen Cees en geen snelle sportwagen. Misschien waren ze wat later.

Maar toen het schoolplein leeg was, stond Bonnie nog steeds te wachten. En ook na een kwartier was Lis niet komen opdagen.

Ik wist het, dacht Bonnie somber, ik had al zo'n gevoel dat het niets zou worden met die pizza's. Teleurgesteld liep ze naar huis.

Toen ze bij haar huis kwam en het tuinpad op liep, zag ze Cees woedend de voordeur achter zich dichtknallen. Met een tas vol spullen beende hij met grote passen naar zijn auto.

Lis stond boven op het balkon en gooide haar nieuwe schoenen naar zijn hoofd. 'Rot toch op met die rotschoenen van je!' gilde ze. 'Ik heb het helemaal gehad met jou.'

Hij kon de schoenen maar net ontwijken. 'Dat zijn Prada's!' riep hij verontwaardigd.

'Dáhág Cees! Opzouten!' riep Lis.

Het was weer zover, dacht Bonnie: haar moeder had er genoeg van.

Woedend sprong Cees in zijn auto en startte de motor. Toen hij Bonnie zag, riep hij: 'Jullie zijn gestoord! Allebei!'

Bonnie zei niets. Laat hem maar lekker opdonderen, dacht ze.

Cees trapte het gaspedaal in en scheurde weg. Met piepende banden verdween hij de straat uit.

'Die zijn we kwijt! Hè, hè!' riep haar moeder.

Bonnie opende de voordeur en liep naar binnen. Haar moeder kwam de trap af. 'Kom Bon, we bestellen wel een pizza. Jij zeker met artisjokken? Ik neem er een met ansjovis.'

Bonnie zat aan de keukentafel met twee grote dozen met pizza voor zich. Snel at ze van haar stuk. Lis liep druk rond. Ze kleedde zich aan, at pizza, maakte zich op, alles tegelijk. En ze praatte maar door: 'En toen begon hij over streng zijn en consequent en over "gepaste straf".'

'Voor wie?' vroeg Bonnie.

'Voor jou! Dan ben ik toch helemaal klaar met zo'n kerel? Meteen wegwezen.'

Lis deed een sjaal om. 'Hij moet zich niet met onze opvoeding bemoeien, hè Bon? Dat kunnen we zelf wel.'

Bonnie knikte met volle mond.

'Goed dat hij is opgerot. Al dat gelul over die schoenen van hem. Helemaal gek werd ik ervan. Blij dat ik daarvanaf ben.'

'Ik ook,' zei Bonnie. 'Hoe laat is het?'

'Al zo laat?' Lis schrok toen ze op de klok keek. 'Kom Bon, rennen!'

Buiten adem kwamen ze het circusterrein op gerend. Uit de grote tent klonk vrolijke muziek en geklap. Snel liepen ze naar de kassa, die al bijna dichtging.

'Twee kaartjes alstublieft. Mooie plaatsen graag. De beste,' zei Lis hijgend tegen de man achter het loket.

'We zijn uitverkocht,' zei hij droog.

'Dan twee gewone kaartjes,' zei Lis en opgewonden pakte ze Bonnie bij de hand.

'We zijn uitverkocht,' herhaalde de man. Met een snelle beweging sloot hij het luik van het loket. Het loket was dicht.

Even was Lis overdonderd, maar ze was niet van plan zich zo snel te laten afschepen. Ze liep om het loket heen naar de kassaman.

'Doe nou niet zo flauw, man. Laat ons er nou gewoon in. We zijn maar met zijn tweeën!'

De man gaf geen sjoege.

Lis begon te schelden.

'Toe nou, mam,' zei Bonnie. Ze hield hier niet van.

Het hielp niet. Lis werd alleen maar kwader en gaf de man een mep met haar tasje.

Bonnie wilde weg. Naar huis. Ze draaide zich om en liep terug. Ze was diep teleurgesteld.

Terwijl ze het circusterrein af liep, hoorde ze Lis in de verte nog razen en tieren.

Verdrietig en boos kwam Bonnie thuis. Ze liep naar Lis' slaapkamer. Op het nachtkastje stonden de potjes pillen. Helemaal vol. Ze begreep dat haar moeder haar pillen weer niet slikte. Ook al had ze nog zo beloofd dat ze dat nou echt, écht zou doen.

Bonnie wist dat het weer fout zou gaan. Zo ging het altijd. De ellende begon opnieuw. Dan sloeg haar moeder eerst op hol en daarna lag ze wekenlang alleen maar op bed.

Ze kon zich niet meer goedhouden en viel op het bed. De tranen stroomden over haar wangen.

Negentien

Verdrietig zat Bonnie op de bank. Af en toe at ze wat chips uit een zak. Lis was nog steeds niet komen opdagen. Die stond zeker nog ruzie te maken met de kassaman, dacht Bonnie.

Er klonk getik op het raam.

Lis stak haar hoofd door het open raam naar binnen en riep vrolijk: 'Bonnie! Bonbonnetje! Kom eens kijken!'

'Laat me met rust,' zei Bonnie. De tranen braken weer los. 'Je moet eindelijk eens normáál gaan doen!'

'Bonnie,' zei Lis, 'dit vind je écht heel, héél erg leuk, hoor!'

Maar Bonnie wendde zich af. Ze had er geen zin in.

Plotseling klonk er uit de tuin luid getrompetter. Met een ruk draaide Bonnie zich weer om. Hoorde ze dat goed?!

Lis schoof de gordijnen met een ruk opzij en riep uitgelaten: 'Tadaaa!!!'

Bonnie kon haar ogen niet geloven toen ze zag wat Lis bij zich had. Een olifant! Haar mond viel open van verbazing.

Stralend liep ze naar buiten. Als in een droom. Daar

stond een enorme olifant te happen aan de rododendron. Lis had hem vast aan een lijntje.

'Nou?! Leuk of leuk?!' zei ze, dolblij dat Bonnie weer vrolijk was.

Bonnie stapte op de olifant af. 'Hé, ben jij dat? Wil je wat te eten hebben? Kom maar, hoor,' zei ze liefkozend terwijl ze haar hand naar zijn slurf uitstak om kennis te maken.

'Het was een eitje, Bon,' ratelde Lis. 'Niemand te zien natuurlijk tijdens de voorstelling. De sleutels hingen in een rode caravan. Ik heb ze allemaal geprobeerd en pas de dertiende paste!'

Ze gaf de olifant een klopje. 'Hé, jongen! Oma, zou trots op ons zijn, Bon, daar boven op haar wolk. Weet ik zeker. En hij had niets te drinken! Niemand die naar hem omkijkt. Stelletje dierenbeulen. Kom, we geven hem wat te bikken.'

In de keuken en de kelder zochten ze alles wat eetbaar was bij elkaar en gooiden dat in de grootste emmer die ze konden vinden. Spaghetti, wortels, rijst, koekjes en een zak wokkels. Ook de appels van de fruitschaal gooiden ze erbij. Ze zetten de volle emmer voor de olifant, die er meteen zijn slurf in stak en begon te eten.

Bonnie was helemaal opgeklaard. Al het leed was geleden. Ze keek naar de olifant en voelde zich alleen maar vreselijk gelukkig.

Nietsvermoedend kwam de poes van Puch uit de struiken lopen. Toen hij de reusachtige olifant zag, blies hij met een hoge rug en wist hij niet hoe snel hij weg moest komen.

Bonnie en Lis schaterden het uit.

'Wat is-ie mooi, hè Bon? En hij is helemaal voor jou!' zei Lis opgewonden.

Bonnie kon haar ogen niet van de olifant afhouden. Ze keek hoe hij met zijn slurf netjes alle appels in zijn bek stopte. In *no time* was de emmer leeg. Hij begon aan de berkenboom.

'We brengen je naar een weitje, waar je een beetje kunt rennen, en dan gaan we je lekker verwennen. Dat heb je wel verdiend, bolle. Ouwe dibbus,' ratelde Lis door. 'Kom, dan krijg je water.'

Ze liep naar de tuinslang en draaide de kraan open. Bonnie pakte de slang en spoot ermee in zijn bek. Tevreden hapte de olifant in de straal. Hij vond het lekker.

'Je zult wel dorst hebben, hè?' zei Bonnie.

Toen hij eindelijk uitgedronken was, pakte hij nog even met zijn slurf een paar takken van de oude beuk als hapje toe. Opeens klonken er enkele zware dreunen. Het leek wel een aardbeving. Verbaasd keken Bonnie en Lis wat er aan de hand was. Achter de olifant lagen een paar gigantische, dampende drollen.

Ze barstten in lachen uit. Met dichtgeknepen neus riep Lis: 'Nou Bon, nu hebben we genoeg mest voor de hele tuin!'

In huis ging de telefoon. Lis rende naar binnen om op te nemen, nog dubbelgevouwen van het lachen. Ze sprak met enthousiaste gebaren. Bonnie ging zo op in de olifant dat ze de telefoon niet eens had gehoord. Ze liep op hem af en hees zich voorzichtig op aan een van zijn grote slagtanden. De olifant vond het best. Hij was tenslotte een circusolifant.

'Braaf!' zei Bonnie en ze gaf hem een stuk pizza als beloning. Toen tikte ze met de tuinslang op zijn rechterpoot en zei heel duidelijk: 'Op!' Gehoorzaam hief de olifant zijn enorme poot. Bonnie straalde van trots. 'Brááf!' zei ze.

Lis kwam de tuin weer in. 'Dat was Jorien van de Jeugdzorg Noord-Holland Noord. Wat een leuk mens! Waarom heb je me nooit over haar verteld?'

Van schrik verslikte Bonnie zich.

'Ze komt zo langs,' zei Lis. 'Wat denk je: zou ze ook van dieren houden?'

'Wat?!' riep Bonnie in paniek. O nee!!! dacht ze. Dat niet. Jorien mocht de olifant niet zien. Dan zou ze helemaal denken dat ze gek waren. En dan moest zij zeker naar een pleeggezin.

Ze moest iets doen. Koortsachtig dacht ze na. Ze had hulp nodig.

Ruw duwde ze haar moeder opzij en rende het huis in. Ze greep de telefoon en belde Koos.

'Ligt Koos al in bed?' vroeg ze toen zijn vader opnam. Nee, gelukkig nog net niet. Toen Koos aan de telefoon was, legde ze snel uit wat er aan de hand was. Noodsituatie. Hij moest helpen. Nu. Hij moest komen. Bonnie had een idee. Als Koos nou...

Koos begreep het gelukkig meteen.

'Ik kom!' riep hij en hij hing op. Er was geen tijd te verliezen.

Bonnie liep snel de tuin weer in, waar Lis de olifant met een bezem aan het borstelen was. 'Zooo, lekker, hè, ouwe stinkerd?' Ze was zich niet bewust van enig gevaar.

'Snel! Weg! Die olifant moet weg!' riep Bonnie.

'Hè?' zei Lis verbaasd. 'Maar het is een cadeautje... Je mag hem houden.'

'Nee, hij moet weg. Straks ziet Jorien hem.'

'Wat een onzin. Jorien komt alleen maar even kijken of alles goed gaat. En alles gaat toch goed?'

Bonnie werd een beetje wanhopig. Haar moeder begreep er niets van.

'Mam! Als Jorien hem ziet en jou en mij en alles, dan...'

'Wát dan?' vroeg Lis oprecht verbaasd.

'Dan grijpen ze in. Dan moet ik naar een pleeggezin.'

'Wat moet jij in een pleeggezin?'

Bonnie sloeg haar ogen ten hemel. Ze verloor haar geduld. 'Jij jat olifanten!' riep ze kwaad. Dat haar moeder dat niet snapte!

'Nou…' sputterde Lis tegen.

'Gewone moeders doen dat niet, mam!'

'Ja,' pruttelde Lis, 'gewone moeders, gewone moeders…'

Twintig

Koos was op zijn fiets gesprongen. In zijn pyjama, want tijd om gewone kleren aan te trekken was er niet. Om zijn hand had hij nog snel een theedoek gebonden. Die was rood doordrenkt. Keihard sjeesde hij naar Bonnies huis. Buiten adem kwam hij aan.

Net toen hij het tuinpad op scheurde, kwam Jorien aangestapt. Hij botste bijna tegen haar aan en kon nog net op tijd remmen. Van schrik maakte ze een klein sprongetje.

'Bent u de Jeugdzorg?' vroeg Koos.

Jorien knikte. Ze schrok toen ze Koos' hand zag.

Koos hief zijn hand naar haar op, zijn gezicht vertrokken van de pijn.

'Mijn moeder bijt,' zei Koos klaaglijk.

Jorien wilde zijn hand pakken, maar Koos trok hem snel terug. 'Au...' zei hij zielig.

'Wie bijt? Je moeder?'

Koos knikte terwijl hij in elkaar kromp van de pijn. Hij raakte op dreef. 'Mijn ene broertje heeft nog maar één oor. En mijn andere broertje zijn vinger heeft ze ook...'

'... opgegeten?' vroeg Jorien. Ze vertrouwde het niet helemaal meer.

Een klodder rood druppelde van Koos' hand.

'Laat nog eens zien?' vroeg Jorien.

Koos stortte zich nu helemaal op zijn spel. Zacht kermend hield hij zijn hand op.

Razendsnel pakte Jorien hem beet. Beteuterd keek Koos hoe ze haar gezicht naar zijn hand bracht. Ze snoof en nam snel een lik. Ze proefde en zei triomfantelijk: 'Aha, als ik het niet dacht... Ketchup!'

Meteen liet ze Koos staan waar hij stond en liep door naar de voordeur. Ze belde aan.

Koos liet zich niet kennen en probeerde haar alsnog tegen te houden. Hij liep naar haar toe en duwde en trok. Maar Jorien schudde hem geïrriteerd van zich af en belde triomfantelijk nog een keer aan. Heel lang en heel hard.

Ondertussen was het toch ook wel tot Lis doorgedrongen dat een olifant in de tuin niet kon. Bonnie en zij stonden in de achtertuin te duwen en te sjorren aan de olifant. Die bewoog geen centimeter.

'Kom dan, bolle!' riep Lis.

Hij leek het wel naar zijn zin te hebben en wilde net aan de hortensia's beginnen. Toen Lis de bel van de voordeur hoorde, liep ze naar binnen om open te doen.

'Nee, mam! Niet opendoen. Hier blijven...' riep Bonnie.

Maar Lis draaide zich om en met een vinger in de lucht

zei ze: 'Eerlijkheid, Bonnie, daar kom je het verst mee. En trouwens,' grinnikte ze, 'ik hoef toch niet iedereen te vertellen wat er bij ons zoal in de tuin staat?'

Woedend brulde Bonnie: 'Mám!'

Koos was om het huis gelopen en kwam de achtertuin in gerend. Hij zag dat Bonnie bil aan bil stond met de olifant en dat ze probeerde hem achteruit te duwen.

'Niet opendoen!!!' gilde hij.

'Te laat. Help me nou!' antwoordde Bonnie.

Koos voelde er niets voor. Hij was bang en keek vol ontzag naar de olifant.

Lis had ondertussen opengedaan en Jorien binnengelaten. Ze ging haar voor de kamer in. Snel deed ze de gordijnen dicht, zodat Jorien de olifant niet zou zien.

Allervriendelijkst zei ze: 'Bonnie ligt er al in. Op tijd naar bed, regelmaat, dat vind ik heel belangrijk voor een kind. Eh… Wilt u wat drinken?' Ze wilde naar de keuken lopen.

'Nee, hoor, dank u wel,' antwoordde Jorien.

Lis bleef staan. Ze zorgde er goed voor dat Jorien met haar rug naar de tuin bleef staan.

Opeens klonk er getetter uit de achtertuin. Meteen keek Jorien om naar het raam, maar ze kon niets zien vanwege de gordijnen.

Snel begon Lis weer te praten. 'Echt niet? Ik heb heel lekkere cola, hoor.'

'Nee, nee, echt niet.'

Lis probeerde met haar ogen Joriens blik vast te houden. 'We hebben natuurlijk even moeten wennen toen mijn moeder overleed. Dat is niet makkelijk, hoor. Dat kan ik wel zeggen.'

Jorien keek nog steeds liever naar het gordijn, maar ze begreep dat ze toch iets moest zeggen.

'En hoe gaat het nu?' vroeg ze, terwijl ze Lis weer aankeek.

'Nu gaat het prima, echt. Heel goed!' zei Lis.

Weer klonken uit de tuin rare geluiden. Onmiddellijk draaide Jorien haar hoofd weer om.

'Dat zijn de buren,' zei Lis verontschuldigend. 'Vreemde mensen. Héél vreemde mensen! Misschien dat u dáár nog een pleeggezin voor hebt?' grapte ze.

Jorien lachte, maar als een boer met kiespijn. Ze vertrouwde het niet erg. Je zag haar zich afvragen of ze voor de gek werd gehouden.

Lis probeerde haar aandacht weer te vangen en vroeg opnieuw of Jorien echt niets wilde drinken. 'Ik kan water opzetten. Voor koffie of voor thee… O nee, de thee is op. Koffie dan?'

Jorien stond nu met haar rug vlak bij het raam.

Buiten probeerden Bonnie en Koos de olifant nog steeds weg te krijgen. Bonnie deed haar uiterste best hem mee te trekken aan het touw.

'Toe nou,' smeekte ze. 'Het is voor je eigen bestwil!'

Maar de olifant bleef staan en ging met zijn slurf door het raam naar binnen.

Binnen zag Lis plotseling achter Jorien een grote slurf tussen de gordijnen door vandaan komen, die over de grond stofzuigerde. Vlak bij Joriens voeten lag een lege chipszak met wat kruimels. De olifantenslurf bewoog ernaartoe.

Van de zenuwen begon Lis nu hard te praten: 'Met melk of suiker? Of alleen met suiker? Of alleen melk? Of met niets, dat kan natuurlijk ook! Haha.'

De slurf had de kruimels gevonden en ging weer omhoog. Vlak langs Joriens rok, maar die merkte niets. De slurf verdween weer achter de gordijnen.

Lis slaakte een diepe zucht van opluchting. Het grootste gevaar leek geweken. Ze ontspande weer een beetje en ging zitten. 'Nee, echt,' hernam ze het gesprek, 'het gaat hier heel goed. Bonnie is een makkelijk kind en ik ben een makkelijke moeder. Alles loopt op rolletjes.'

Jorien ging ook zitten, met haar rug naar het raam. Ze knikte af en toe vriendelijk en maakte aantekeningen op een blocnote op haar schoot.

Buiten had de olifant dorst gekregen. Hij stak zijn slurf in de plas water die onder de buitenkraan lag en dronk het modderige water gretig op. Bonnie en Koos keken hulpeloos toe.

Binnen babbelde Lis door alsof er niets aan de hand was. Maar opeens bewogen de gordijnen en kwam de slurf weer binnen. Meteen begon Lis hard te praten. Jorien keek haar een beetje vreemd aan, maar had verder niets in de gaten.

Plotseling klonk er uit de tuin oorverdovend getrompetter.

Jorien sprong van schrik op. Verbijsterd keek ze naar het raam. Toen ze de enorme slurf zag, viel haar mond open. De slurf ging omhoog en spoot op hetzelfde moment een enorme waterdouche uit. Recht in Joriens gezicht.

Verlamd van schrik hapte ze naar adem. Kletsnat was ze. Haar haren plakten aan haar gezicht en haar jasje was zwart van de modder.

Lis sloeg haar handen voor haar mond en kon een lachstuip niet onderdrukken. Maar ze wist ook dat het nu flink mis was.

Jorien kwam bij haar positieven en rende gillend weg. Op veilige afstand pakte ze haar mobieltje en begon meteen te bellen.

Bonnie holde uit de tuin naar binnen en ving flarden op

van het gesprek: 'Totaal onhoudbare situatie… Onmiddellijke uithuisplaatsing… Spoed… Pleeggezin.'

Nu is alles verloren, dacht Bonnie. Dit kan niet meer goed komen.

Lis stond wat ongelukkig in de kamer. Woedend schreeuwde Bonnie naar haar: 'Zíé je nou wel?! Je moet voortaan eens nadenken! Nu moet ík weg, omdat jíj zo stom doet!'

'Bonnetje… toe nou. Bonniebeer,' stamelde Lis.

Maar Bonnie had het helemaal gehad met haar moeder. Ze stormde naar buiten.

Daar was de olifant aan de azalea begonnen. Hij keek haar een beetje baldadig aan.

'Stouterd!' zei Bonnie. 'Waarom deed je dat nou?'

De olifant brieste een beetje. Ze aaide zijn slurf.

Lis probeerde ondertussen de vlekken uit Joriens kleren te halen. Maar die werd daar alleen nog bozer van. Met een nijdig gebaar sloeg ze Lis' handen weg.

Het komt Jorien vast goed uit dat we een olifant hebben, dacht Bonnie. Kan ze haar zin krijgen. Maar ik ga er natuurlijk echt niet op wachten tot ze me in een pleeggezin stoppen.

In de verte klonken sirenes. Politieauto's scheurden de straat in en ook een brandweerauto arriveerde in vliegende vaart.

Eenentwintig

Ik moet weg, dacht Bonnie. Ik loop weg. Zo ver mogelijk. Afrika, dat lijkt me wel wat.

Op straat voor het huis stonden agenten en brandweermannen. 'Zó'n joekel!' riep een van de agenten in de mobilofoon. 'Wel vier meter hoog!'

Bonnie sloop achterom naar het huis van Puch. Vanuit de struiken keek ze bij Puch naar binnen. Puch had niets gehoord van alle drukte op straat. Ze zat in haar eentje op de bank. Op de tv was een lawaaiig muziekprogramma. Op haar schoot had ze een bordje met eten. Bonnie zat zelf ook vaak zo te eten. De poes naast haar likte zich, nog steeds wat nerveus.

Bonnie stond stil en aarzelde. Als een olifant in de problemen zat, dan deed hij precies wat goed voor hem was. Dat was zijn instinct.

Opeens wist Bonnie ook wat ze moest doen. Ze moest naar Puch. Die kon helpen.

Ze duwde de takken weg en liep op de keukendeur af. Aarzelend ging ze de kamer binnen. Puch had niet in de gaten dat ze achter haar stond. Bonnie kuchte even verlegen.

Puch keek op, verwonderd om Bonnie te zien. Ze zette

de tv uit. Bonnie slikte even en zei toen: 'Jij wilde toch familie?'

Puch knikte zonder iets te zeggen.

Bonnie keek haar aan en lachte voorzichtig. Ook bij Puch brak een lach door.

Bonnie liep naar haar toe. Opgelucht ging ze naast haar zitten. Puch legde glimlachend haar arm om Bonnie heen en trok haar tegen zich aan. Bonnie slaakte een diepe zucht. Het was goed zo.

Op straat was het een chaos van politie- en brandweerauto's met zwaailichten aan. Politieagenten en brandweermannen liepen zenuwachtig rond. Lis stond te kibbelen met Jorien. Die trok haar neus op en gaf op hoge toon aanwijzingen aan de agenten.

Een circuswagen was ook gearriveerd en de circusmensen leidden de olifant de tuin uit. Hij leek het allemaal wel leuk te vinden en pikte nog snel even een jong appelboompje mee.

Koos werd geïnterviewd door de lokale televisie. 'Wat ging er door je heen?' vroeg de verslaggever en hij stak de microfoon voor Koos' mond. Stoer vertelde Koos het hele verhaal. 'En toen heb ik hem een duwtje gegeven, anders had-ie álle viooltjes opgevreten.' De verslaggever knikte geïnteresseerd.

Stilletjes waren Bonnie en Puch aan komen lopen. Ze overzagen het hele tafereel en keken elkaar even aan. Kom, gebaarde Puch bemoedigend met haar hoofd. Samen liepen ze eropaf.

'Eh… ik wou even wat zeggen,' begon Puch. Maar niemand die haar hoorde of zag.

Bonnie kreeg een idee en liep naar een verlaten politieauto. Even drukte ze de sireneknop in. Hard gilde de sirene door de straat.

Dat hielp. Het was meteen stil en iedereen keek naar hen.

Bonnie greep Puchs hand. Bedeesd begon Puch: 'Olifanten horen niet in achtertuinen, dat is duidelijk. Maar soms loopt het wel eens anders. Wat gebeurd is, is gebeurd. Zand erover.'

'Nou,' zei Jorien, 'dat vind ik erg makkelijk gezegd. We hebben geen enkele garantie dat er straks niet weer zoiets gebeurt.'

Maar Puch liet zich niet uit het veld slaan. Rustig zei ze: 'Schone kleren en op tijd eten. Natuurlijk. Allemaal belangrijk. Maar waar het eigenlijk om gaat, dat is… dat er iemand is… Dat je niet zo alleen bent.'

'Tja,' zei Jorien weer, 'vínd maar eens zo iemand! In onze pleeggezinnen zijn pleegouders met ervaring die…'

Puch onderbrak haar en zei met heldere stem: 'Ik ben Bonnies tante.'

'Tante?!' zei Jorien stomverbaasd.

Puch knikte vastberaden. Bonnie kneep even in haar hand.

Jorien borg haar mobiele telefoon op en keek vragend naar Lis. Maar Lis keek eerst naar Bonnie om te zien wat zij ervan vond. Die knikte.

Daarop spreidde Lis haar armen en riep enthousiast: 'Tante Puch! Dát is lang geleden!' Ze vloog op Puch af en omhelsde haar. Daarna gaf ze Bonnie een knuffel. Giechelend stonden ze met zijn drieën omarmd.

'Heerlijk, hè, zo'n familie?' riep Lis vrolijk uit, terwijl ze Jorien triomfantelijk aankeek. Bonnie grinnikte, blij en gelukkig. Ook Puch lachte, terwijl ze Bonnie en Lis stevig vasthield. Ze hoorden bij elkaar, familie of niet.

'Kom, we gaan eens op huis aan,' riep Lis. Gearmd liepen ze weg. Op straat stonden alle mensen hen met open mond na te kijken. Maar toen begon opeens iedereen tegelijk te praten en te lachen. Opgelucht dat het goed was afgelopen. De politieagenten liepen terug naar hun wagens en de brandweer schoof de ladder weer in.

Voordat ze naar binnen gingen, keek Bonnie nog even achterom. Naar de olifant natuurlijk.

Tweeëntwintig

'Het is een mooie dag voor olifanten,' had Lis gezegd toen ze 's ochtends de gordijnen had opengetrokken. De zon scheen en de lucht was blauw. En dus waren Bonnie, Lis en Puch naar de dierentuin gegaan. Ze wandelden over de paden en Bonnie huppelde vrolijk vooruit.

Toen ze bij de olifanten kwamen en de dieren Bonnie zagen, kwamen ze allemaal naar haar toe.

Bonnie begroette haar vrienden en stelde ze voor aan Puch. 'Dat is Dora en die kleine dikke is haar kind, Dries...'

Puch stak haar hand uit. De slurven begroetten haar snuffelend. Puch glimlachte trots.

Bonnie straalde. Opeens zag ze dat er een vreemde olifant in de kudde liep.

De verzorger zag haar kijken en liep op haar af. Hij groette hen en zei toen: 'Heb je het gezien, Bonnie? We hebben er een vrouwtje bij.'

Nieuwsgierig keek Bonnie naar de nieuweling.

'Hoe heet ze?' vroeg ze.

'Toosje,' zei de verzorger. 'Ze wordt de tante van de kudde. Dat is een belangrijke rol. Tantes leren onervaren olifantenmoeders hoe ze hun jongen moeten grootbrengen. Wist je dat?'

Bonnie knikte enthousiast. Natuurlijk wist ze dat.

'Ja, nou en of we dat weten! Hè, Bon?' riep Lis. Ze sloeg een arm om Puch heen en trok haar naar zich toe. Puch grinnikte.

Bonnie maakte kennis met de tanteolifant.

'Ha, tante Toosje.'

Na een tijdje zei Lis: 'Kom, we gaan lekker ijs eten! Ik weet een leuke Italiaanse ijssalon.'

Bonnie grijnsde.

Ze namen een voor een afscheid van de olifanten.

Hand in hand liepen ze weg. Voordat ze de hoek omsloegen, keek Bonnie nog één keer achterom. Naar de olifanten natuurlijk.